KB086652

01 10이 되는 덧셈

연관 활동: 교구 매뉴얼 activity 1

빙고 이야기

1530년대 이탈리아의 어느 지방에서는 주말마다 복권 행사가 열렸습니다.
사람들은 각자 여러 수가 적힌 복권을 가지고, 진행자가 추첨한 수와 같은 수에 ○표를 하고, 가장 먼저 나란히 한 줄을 만든 사람이 '빙고!'라고 외치면 당첨자가 되는 방식이었습니다. 이러한 복권 추첨이 역사상 최초로 등장하는 빙고 게임입니다. 빙고 게임은 18세기 무렵에 프랑스, 독일 등 유럽으로 퍼져나갔고, 19세기에는 바다 건너 미국까지 알려져 큰 인기를 얻었습니다.
빙고는 수학적이고 논리적인 사고력을 요구하는 퍼즐로서 놀이의 용도 외에도 훌륭한 학습 도구입니다. 가장 대표적인 빙고 게임은 가로, 세로 5칸의 총 25칸에 수를 써넣은 55빙고입니다. 이 때문에 미국에서는 빙고 게임을 숫자 5를 의미하는 키노(keno) 또는 비노(beano)라고 부르기도 했습니다.
빙고라는 말은 일상생활에서도 사용합니다. 상대가 마음 속으로 생각한 것을 정확히 이야기하거나 질문에 맞는 대답을 했을 때 '빙고'라고 합니다.

10이 되는 더하기

그림을 보고 빈칸에 알맞은 수를 써넣으세요.

1+ □ =10

2+ □ =10

3+ □ =10

4+ □ =10

5+ □ =10

6+ □ =10

7+ □ =10

8+ □ =10

9+ □ =10

고리칩 더하기

준비물 고리칩(파란색)

고리칩이 **10**개가 되도록 빈 곳에 고리칩을 더 놓고, 덧셈식을 완성해 보세요.

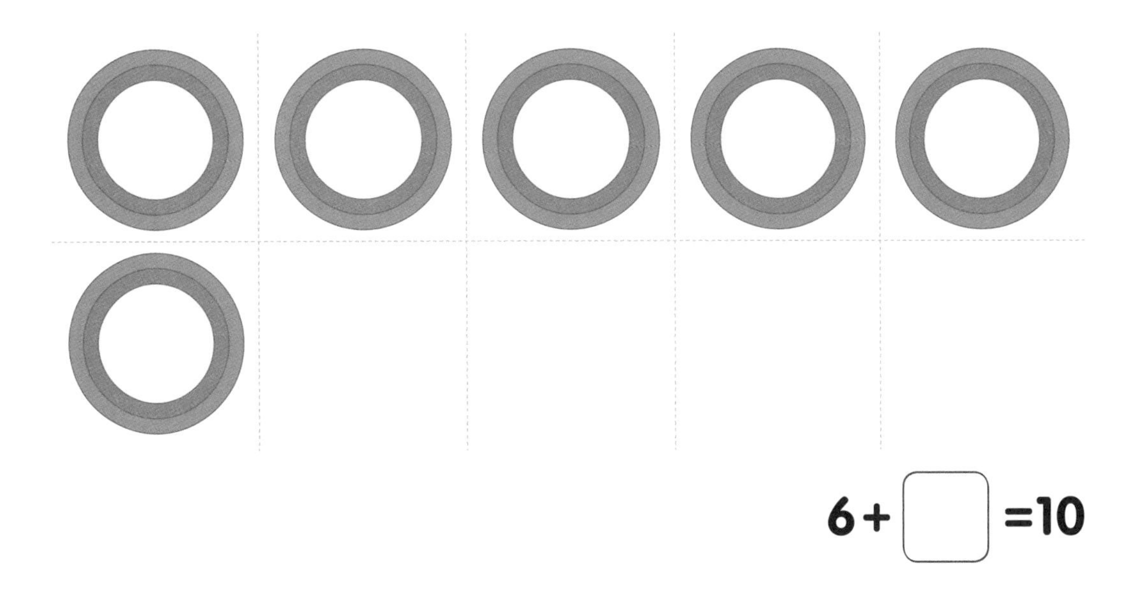

6+ ☐ =10

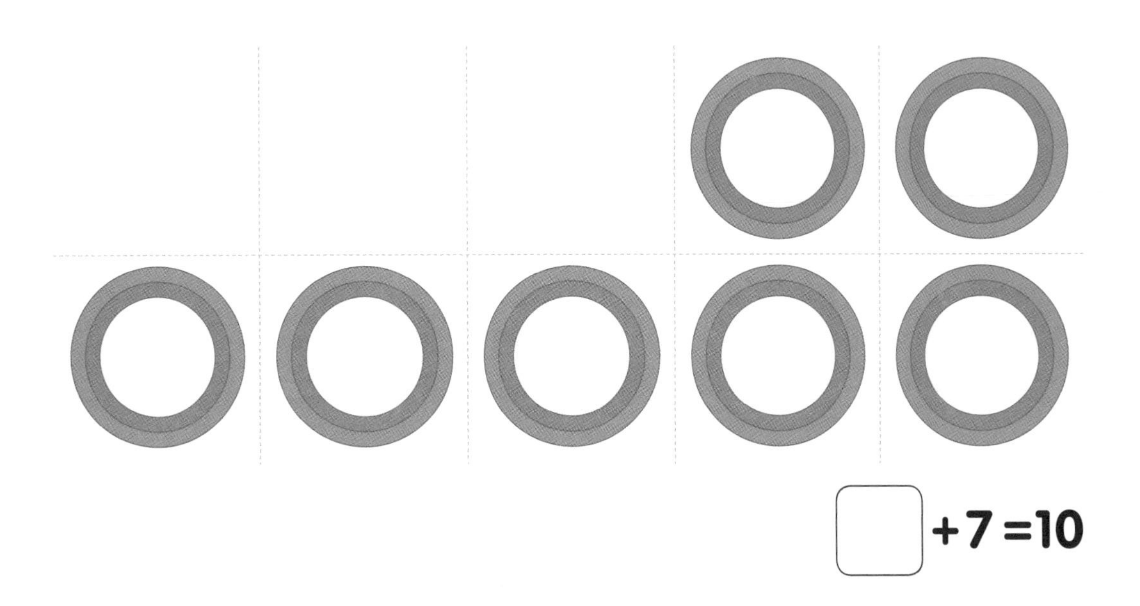

☐ +7 =10

두 수 묶기

가로, 세로, 대각선으로 이웃한 두 수를 더해서 **10**이 되는 두 수를 찾아 묶어 보세요.

1	9	6
5	7	2
3	4	8

4	9	7
6	5	1
8	2	3

3	8	4
2	1	6
5	5	7

6	4	7
9	3	4
1	5	8

5	1	2
8	5	6
3	7	4

주사위 두 수

주사위 **4**개를 굴렸습니다. 두 수의 합이 **10**이 되는 주사위 **2**개를 찾아 색칠해 보세요.

주머니 안의 고리칩

✖ 주머니 안에 남아 있는 고리칩의 수를 맞혀 봅시다.

머긴스빙고 교구 활동

준비물 주머니, 고리칩(파란색) 10개

1 고리칩 10개를 주머니 안에 넣습니다.

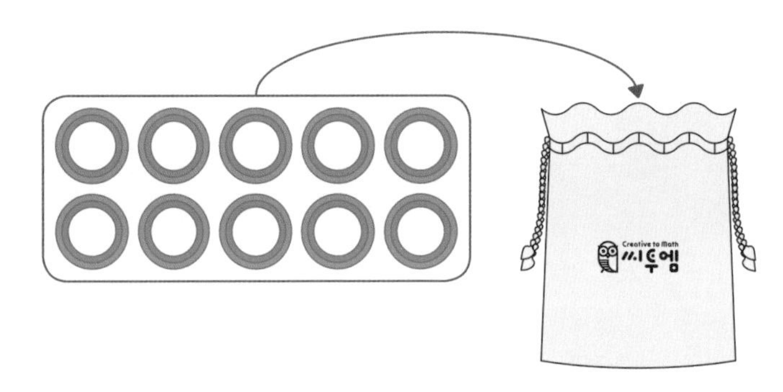

2 주머니에 손을 넣어 고리칩 몇 개를 꺼냅니다.

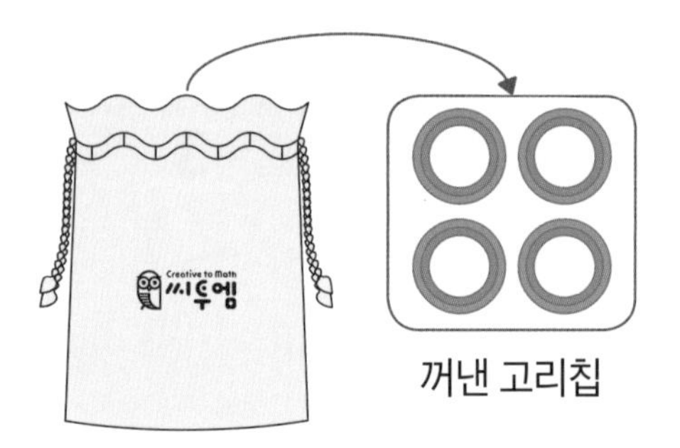

꺼낸 고리칩

3 꺼낸 고리칩의 수를 세어 보고, 주머니 안에 고리칩 몇 개가 남아 있는지 구합니다.

4 주머니 안에 남은 고리칩을 모두 꺼내고 구한 개수가 맞는지 확인합니다.

꺼낸 고리칩

주머니에 남은 고리칩

02 덧셈과 뺄셈

연관 활동: 교구 매뉴얼 activity 1

덧셈구구 전략

덧셈구구에 익숙해지면 외운 것처럼 계산 결과가 저절로 나오지만 기억에만 의존하여 계산하면 나중에 연산이 힘들어질 수 있습니다. 기억에 의존하는 방법을 보완하기 위해서 다음과 같은 덧셈구구의 사고전략을 이해하는 것이 중요합니다.

[앞으로 세기]
더하는 수가 1, 2, 3일 때 쉽게 사용하는 전략입니다. 9+3은 9에서 시작하여 앞으로 3번 세면 10, 11, 12이므로 9+3=12입니다.

[교환 법칙]
더하는 두 수의 순서를 바꾸어도 계산 결과가 바뀌지 않는다는 것을 이용하는 전략입니다. 3+9는 9+3과 같으므로 3+9=12입니다.

[10 만들어 더하기]
더하는 수 중 하나를 10으로 만들기 위해 하나의 수는 늘려 가고, 다른 수는 늘린 수만큼 줄이는 전략입니다. 9+7에서 9는 1을 늘려 10으로 만들고, 7은 1을 줄여 6으로 만들어 더합니다. 즉 9+7=10+6=16입니다.

10 만들어 덧셈

✕ 더하는 두 수 중 큰 수를 **10**으로 만들어 덧셈을 해 보세요.

8 + 6 = ☐

☐ **4**

7 + 5 = ☐

☐ ☐

7 + 9 = ☐

☐ **1**

3 + 8 = ☐

☐ ☐

10 만들어 뺄셈

✕ 빼어지는 수를 **10**으로 만들어 뺄셈을 해 보세요.

11 - 6 = ☐
(1, ☐)

15 - 7 = ☐
(☐, 2)

13 - 4 = ☐
(☐, ☐)

14 - 8 = ☐
(☐, ☐)

바꾸어 더하기

두 수를 바꾸어 더해도 계산 결과는 같습니다. 빈칸에 알맞은 수를 써넣으세요.

$3+9=9+\square$
$=\square$

$4+7=7+\square$
$=\square$

$5+8=8+\square$
$=\square$

$6+9=9+\square$
$=\square$

$7+8=8+\square$
$=\square$

$6+7=7+\square$
$=\square$

공에 적힌 세 수를 이용하여 덧셈식과 뺄셈식을 각각 **2**개씩 만들어 보세요.

덧셈식	뺄셈식
6 + 5 = 11	11 - 5 = 6
□ + □ = □	□ - □ = □

7 16 9

덧셈식	뺄셈식
□ + □ = □	□ - □ = □
□ + □ = □	□ - □ = □

덧셈뺄셈표

가로와 세로에 적힌 두 수를 더하거나 빼서 덧셈표와 뺄셈표를 완성해 보세요.

+	2	5
9	11	
8		13

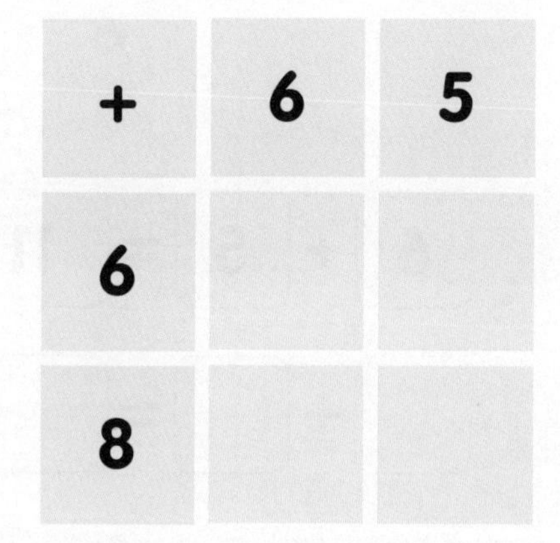

+	6	5
6		
8		

-	7	8
14		6
12	5	

-	6	9
13		
15		

03 세 수의 계산

연관 활동: 교구 매뉴얼 activity 3

세 수의 덧셈과 뺄셈

세 수의 연산에는 세 수의 덧셈, 세 수의 뺄셈, 세 수의 혼합 계산이 있습니다.
세 수의 덧셈은 보통 앞에서부터 차례대로 계산하지만 세 수의 순서를 서로 바꾸어 계산해도 결과는 같습니다.(1+2+3=1+3+2=2+1+3=6)
세 수의 뺄셈도 앞에서부터 차례대로 계산하지만 뒤의 두 수를 서로 바꾼 다음 계산해도 결과는 같습니다. 하지만 가장 앞의 수를 바꾸면 안됩니다.(6-1-2=6-2-1=3)
덧셈과 뺄셈이 함께 있는 혼합계산도 순서를 바꾸어 계산할 수 있으나 빼는 수가 더 커질 수 있으므로 앞에서부터 차례대로 계산하는 것이 좋습니다.

1+7+9

세 수를 순서대로 계산할 거야.

7과 **9**의 순서를 서로 바꾸어 계산하면 더 쉬워.

주사위 세 수

주사위 **3**개를 굴려 나온 수로 세 수의 계산식을 만들었습니다. 계산을 해 보세요.

5 + 1 + 2 = ☐

5 + 1 - 2 = ☐

5 - 1 + 2 = ☐

5 - 1 - 2 = ☐

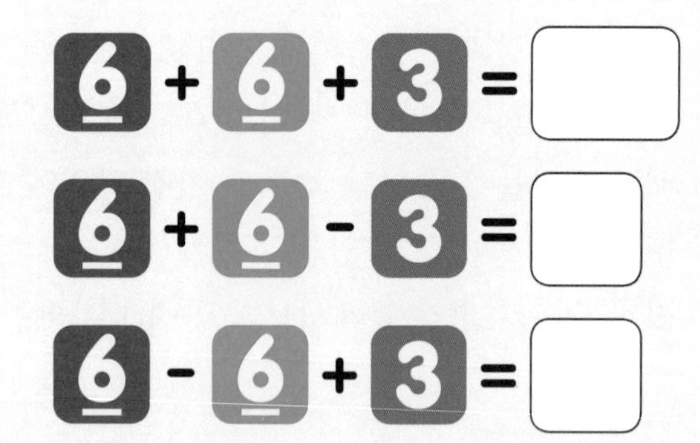

세 수의 계산은 앞에서부터 순서대로 하면 돼.

6 + 5 - 3 = 8

11

8

세 수의 덧셈과 뺄셈

계산을 해 보세요.

$3+6+2=\square$

$3+6-2=\square$

$6+2-3=\square$

$6-3-2=\square$

$2+8+4=\square$

$2+8-4=\square$

$8-2+4=\square$

$8-2-4=\square$

$7+4+1=\square$

$7+4-1=\square$

$7+1-4=\square$

$7-4-1=\square$

길 찾기

계산 결과에 맞게 길을 따라 선을 그어 보세요.

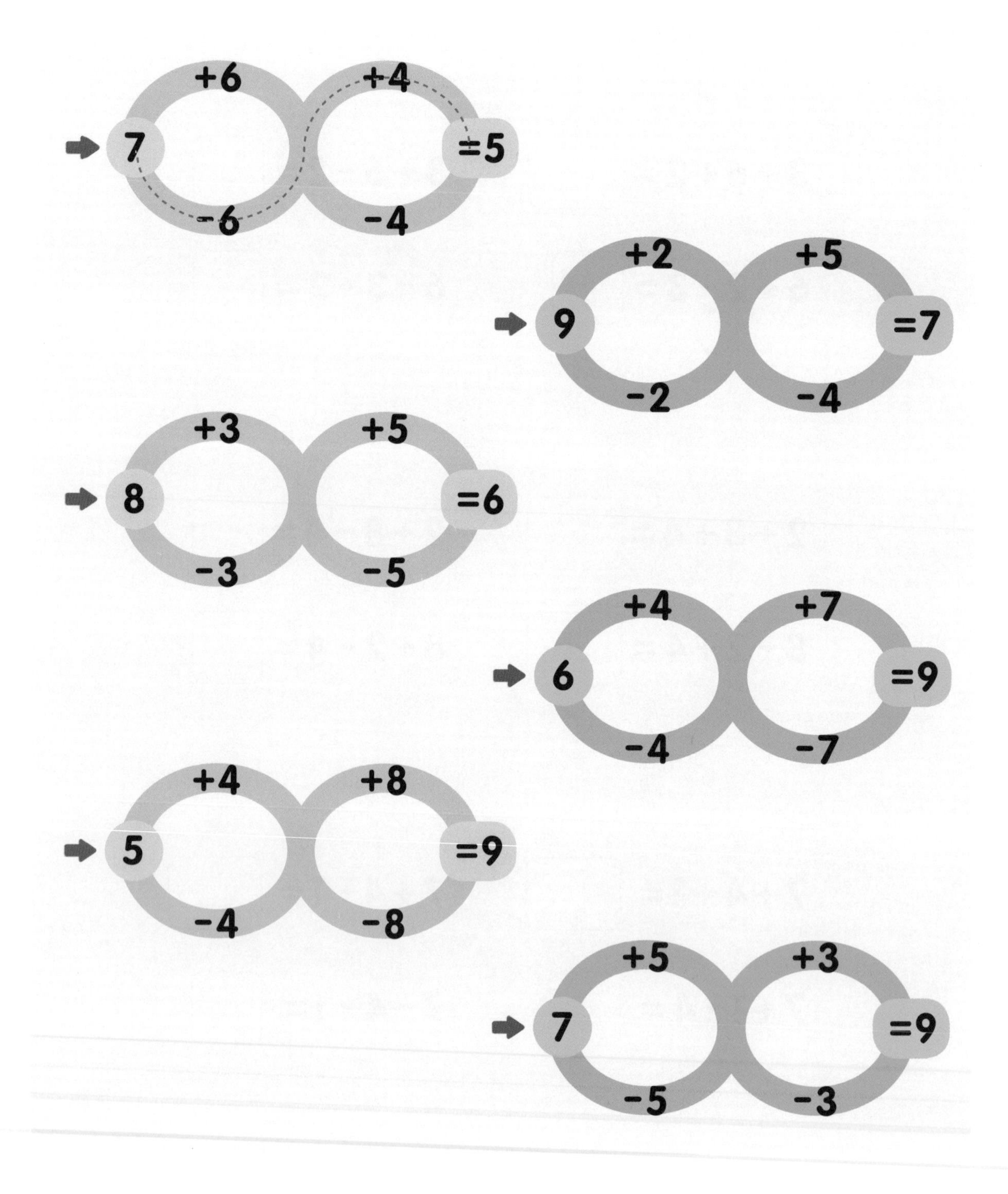

벌집 미로

이웃한 칸으로 선을 그으면서 계산 결과에 맞게 미로를 빠져나가 보세요.

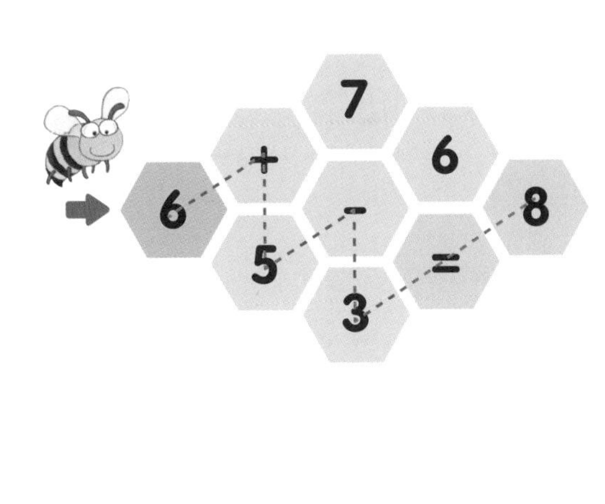

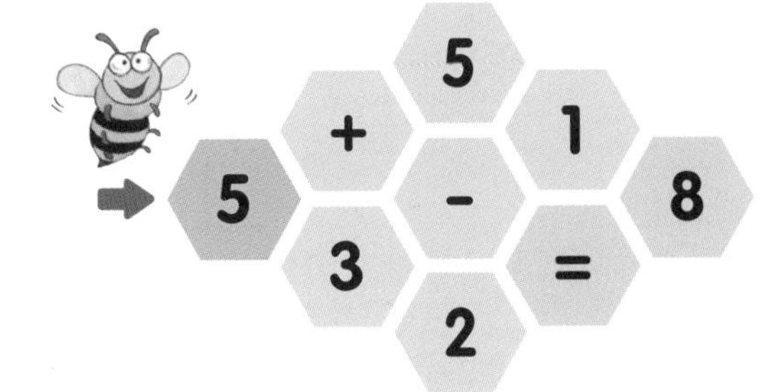

6
+
4
3
-
5
5
=
5

6
+
2
4
-
7
4
=
1

5
+
3
5
-
9
3
=
1

3
+
7
6
-
2
2
=
1

+ 또는 -

계산 결과에 맞게 ○ 안에 **+** 또는 **-**를 써넣으세요.

6 ○ 5 ○ 3=4

5 ○ 5 ○ 7=3

7 ○ 4 ○ 3=8

7 ○ 5 ○ 7=9

4 ○ 7 ○ 5=6

8 ○ 4 ○ 6=6

9 ○ 5 ○ 6=8

04 목표수

연관 활동: 교구 매뉴얼 activity 3, 5

주사위 이야기

우리가 흔히 볼 수 있는 주사위는 1부터 6까지의 눈이 있는 정육면체 주사위입니다. 정육면체 주사위 외에도 정사면체, 정팔면체, 정십면체, 정십이면체, 정이십면체 등 다양한 변형 주사위를 활용하기도 합니다.
주사위는 쉽게 접할 수 있는 교구로 수학 학습이나 게임 등에 많이 사용됩니다. 특히 주사위는 각 면이 나올 확률이 모두 같으므로 주사위를 이용하여 가능성에 대한 확률 감각을 기를 수 있습니다.
정육면체 주사위는 1부터 6까지의 수 뿐만 아니라 다양한 수나 그림 등을 넣어 활용하기도 합니다. 머긴스빙고 교구의 정육면체 주사위는 1~6, 4~9, 1~3과 7~9의 수를 넣어 주사위 3개를 굴렸을 때 1부터 9까지의 수가 모두 같은 확률로 나오도록 구성하였습니다.

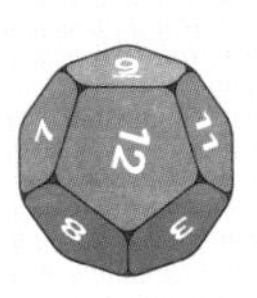

세모 10 만들기

세 수의 합이 **10**이 되도록 점을 연결하여 세모 모양을 만들어 보세요.

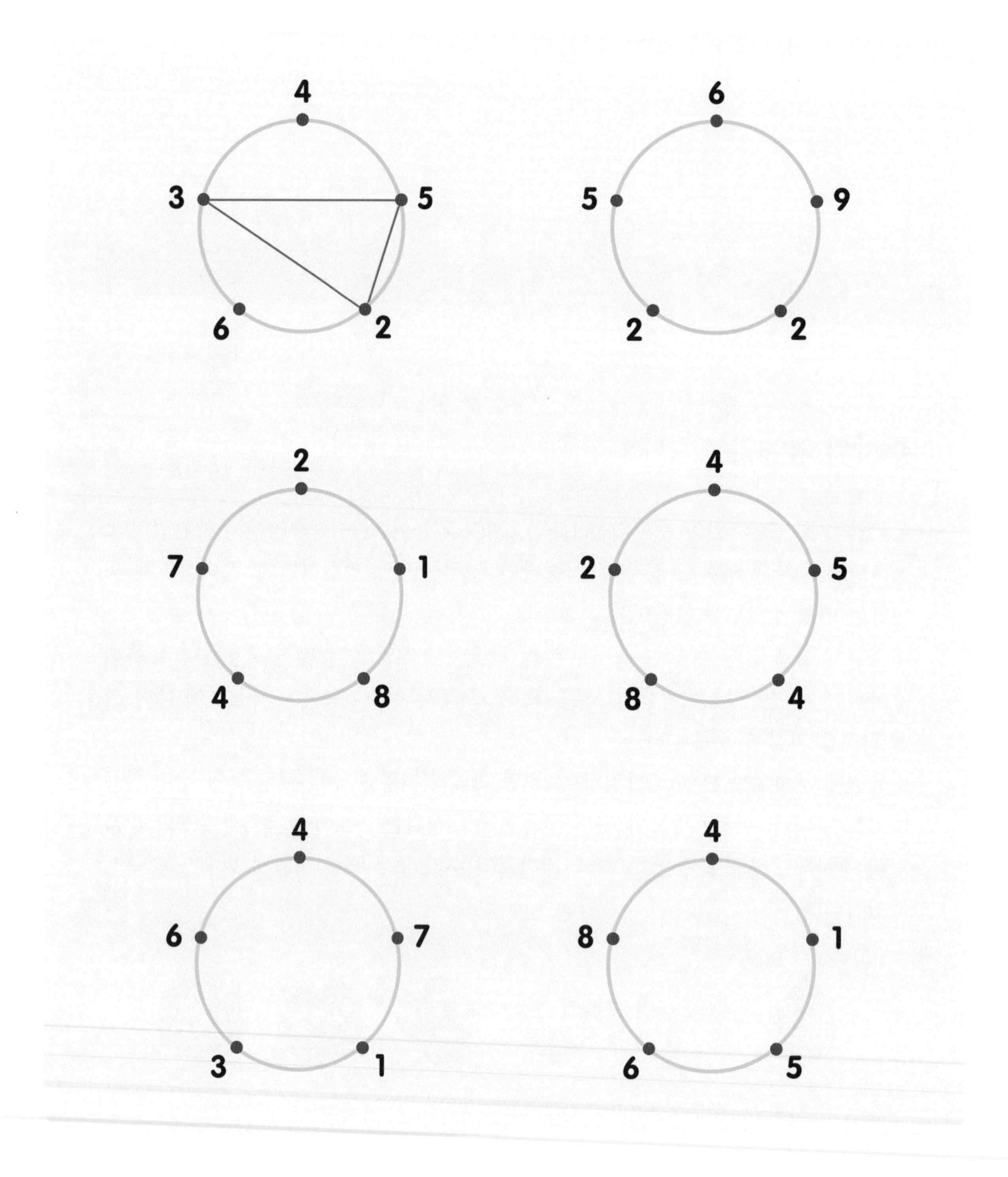

주사위 10 만들기

✕ 주사위 세 수와 **+**, **-**를 사용하여 **10**을 만들어 보세요. (주사위 세 수를 모두 사용해야 합니다.)

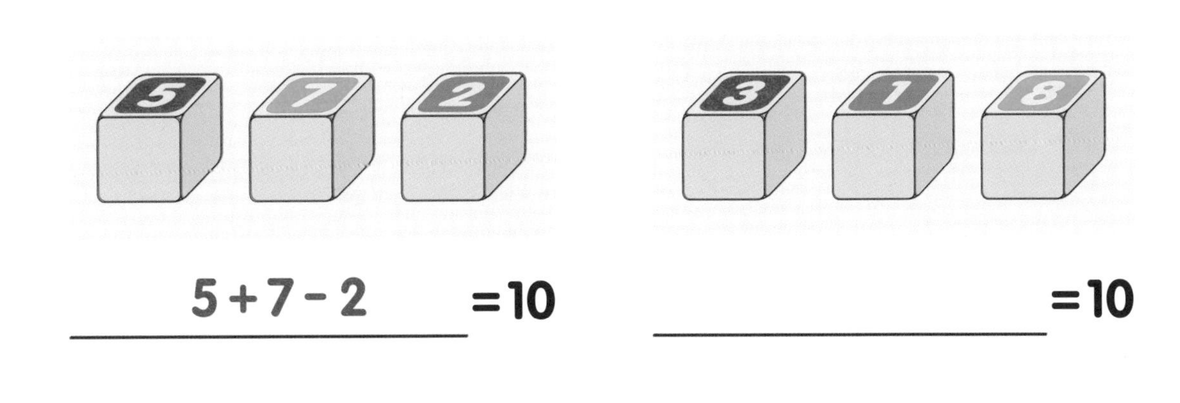

5 + 7 - 2 ________ =10

________ =10

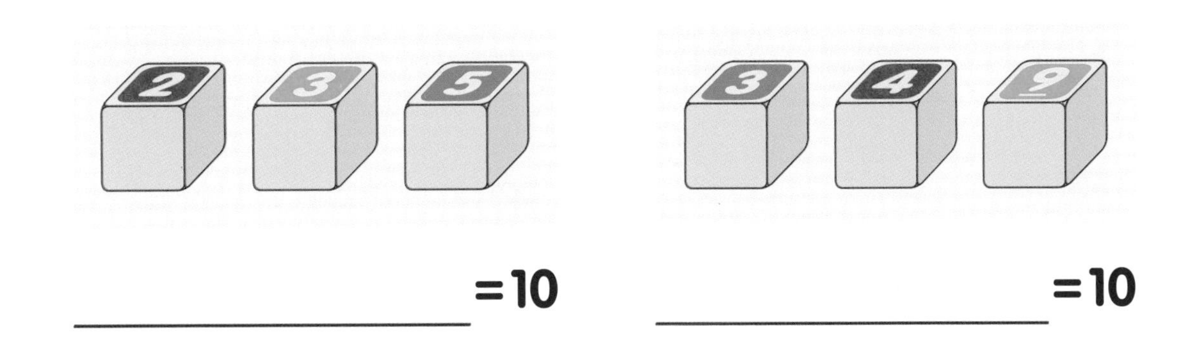

________ =10

________ =10

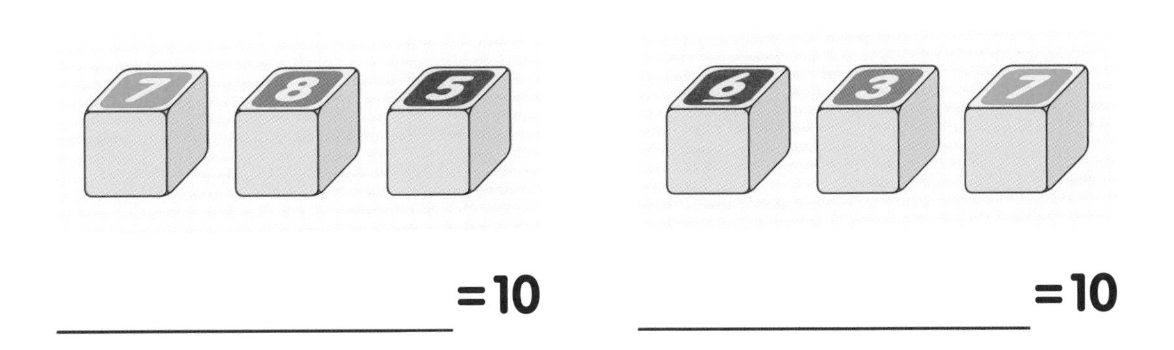

________ =10

________ =10

주사위 목표수

주사위 세 수와 **+**, **-**를 사용하여 주어진 수를 만들어 보세요. (주사위 세 수를 모두 사용해야 합니다.)

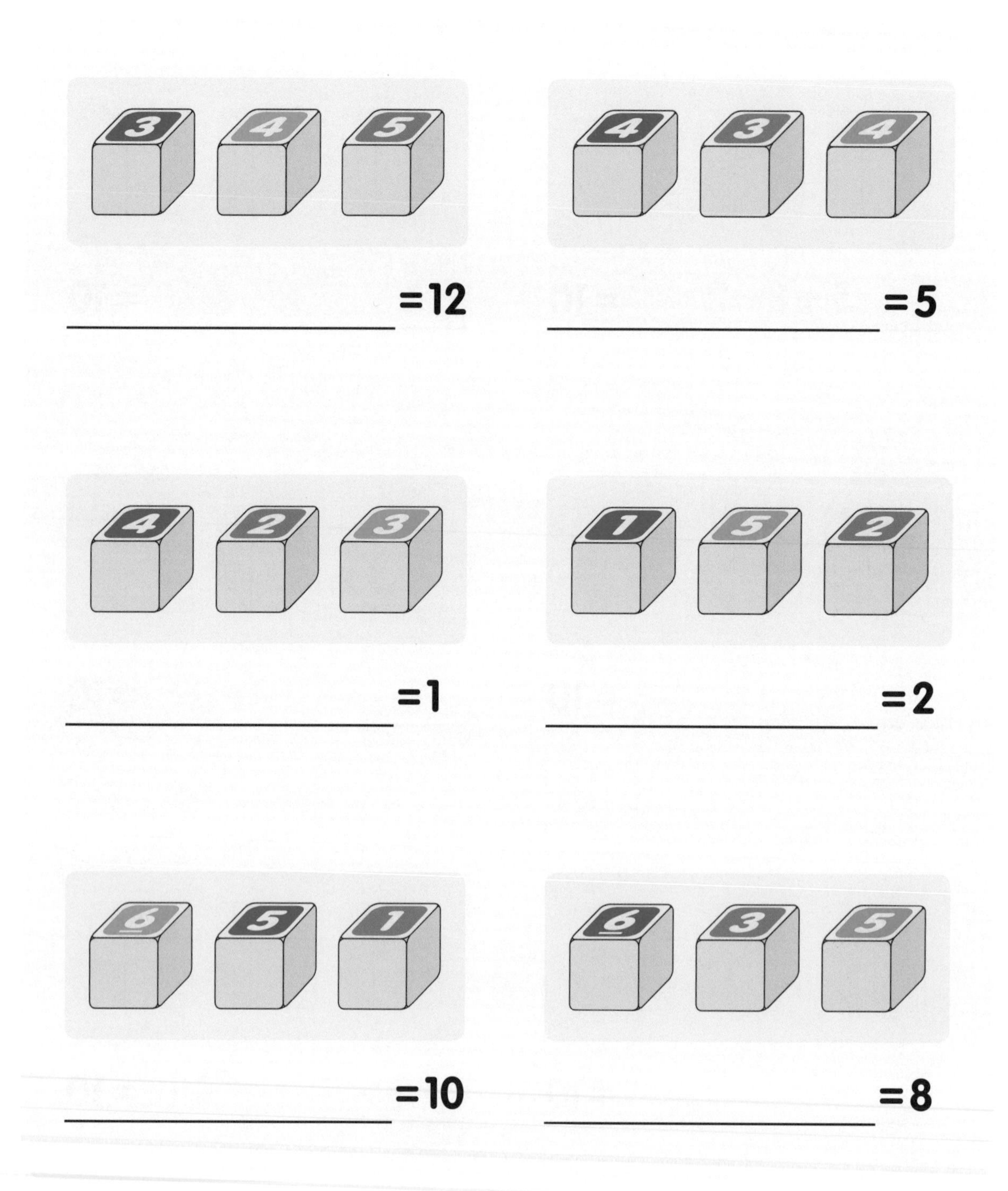

빙고 완성

주사위 세 수와 **+**, **-**로 주어진 수를 만들어 빙고 한 줄을 완성하려고 합니다. 알맞은 식을 써 보세요. (주사위 세 수를 모두 사용해야 합니다.)

_________________ =8

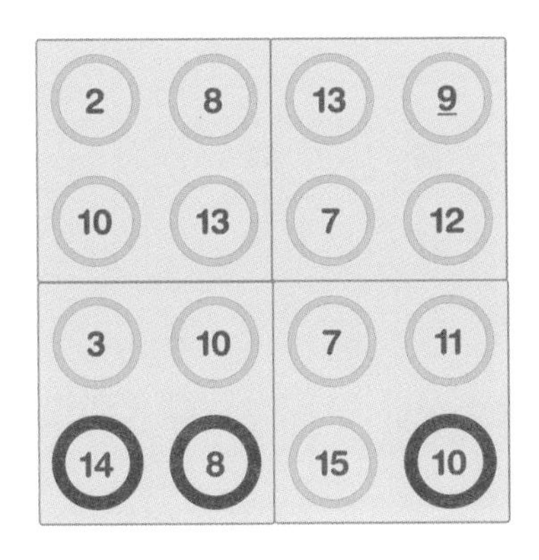

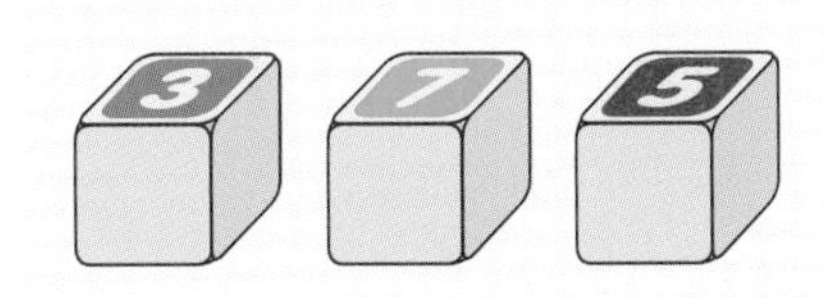

_________________ =15

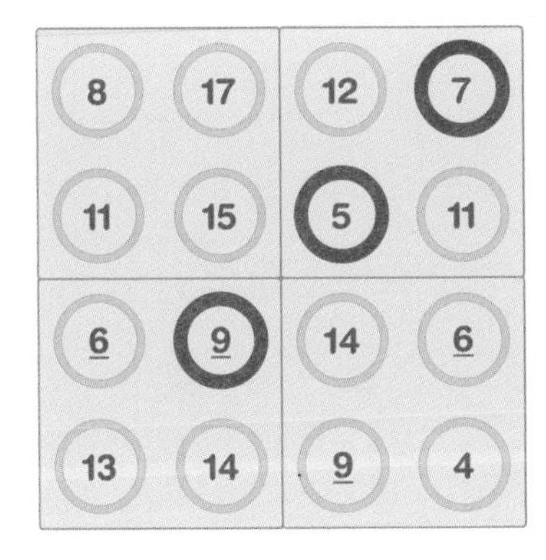

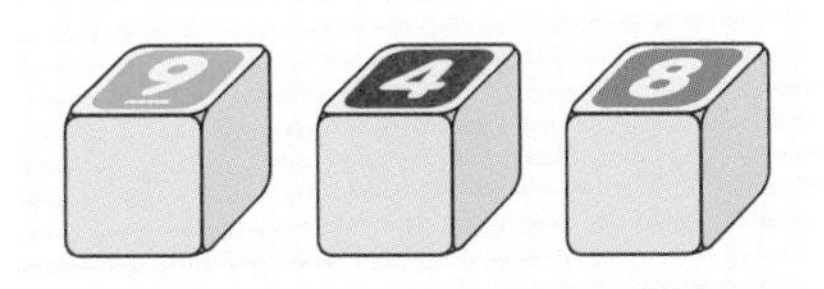

_________________ =13

볼링핀 목표수

주어진 세 수와 +, −를 사용하여 만들 수 있는 수에 모두 ○표 하세요. (주어진 세 수를 모두 사용해야 합니다.)

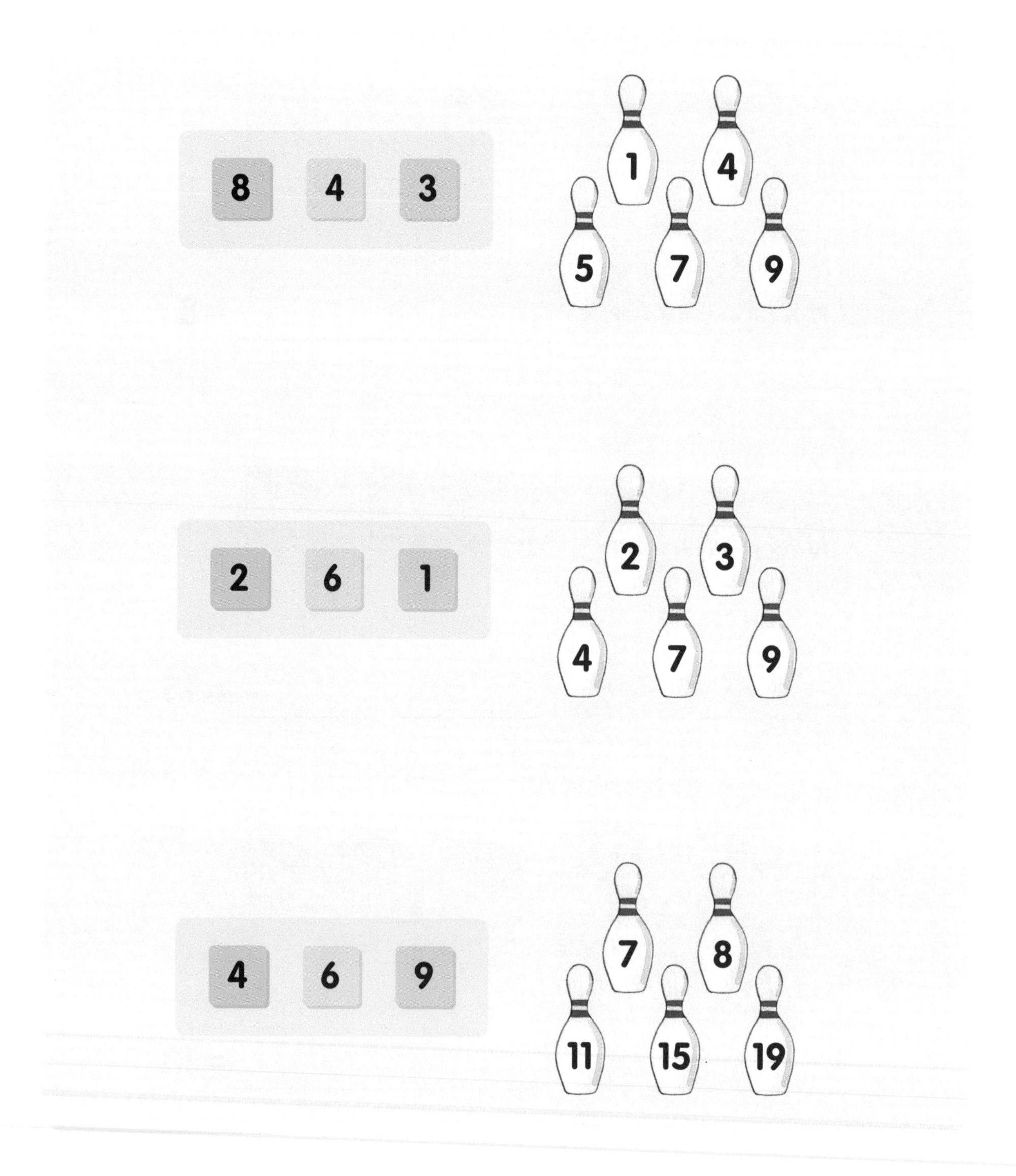

정 답

머긴스빙고 A

머긴스빙고 A

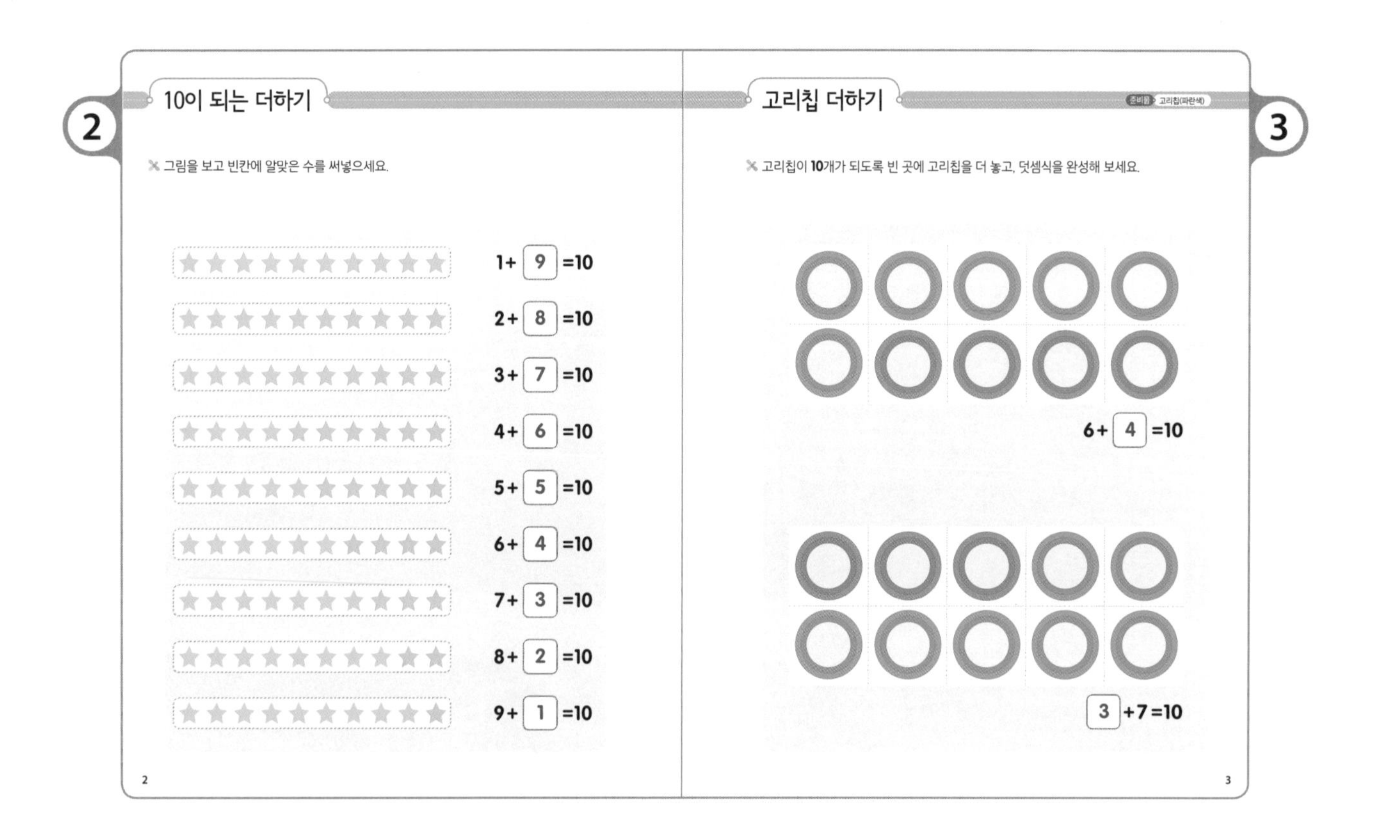

2
10이 되는 더하기
그림을 보고 빈칸에 알맞은 수를 써넣으세요.
1+ 9 =10
2+ 8 =10
3+ 7 =10
4+ 6 =10
5+ 5 =10
6+ 4 =10
7+ 3 =10
8+ 2 =10
9+ 1 =10
3
고리칩 더하기
고리칩이 10개가 되도록 빈 곳에 고리칩을 더 놓고, 덧셈식을 완성해 보세요.
6+ 4 =10
3 +7 =10

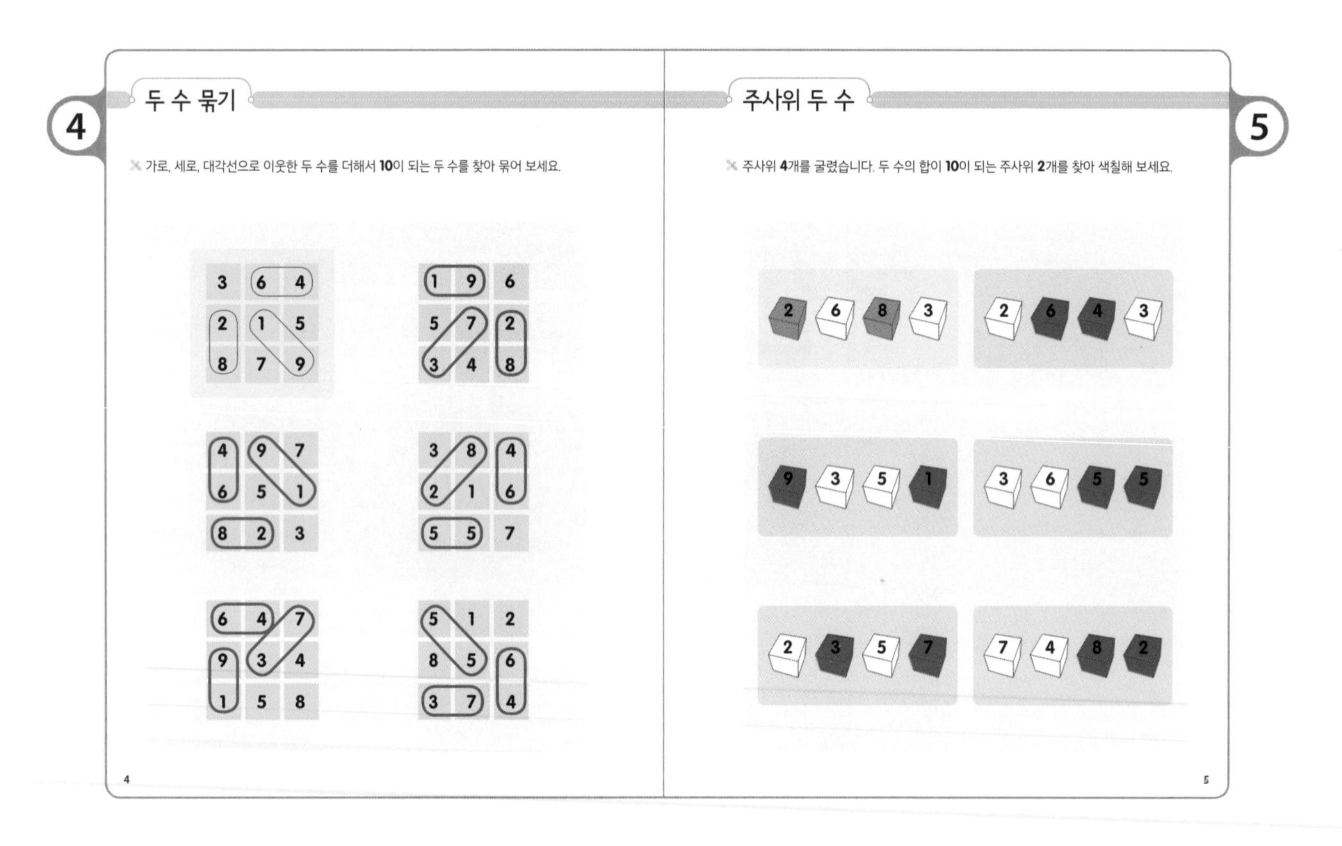

4
두 수 묶기
가로, 세로, 대각선으로 이웃한 두 수를 더해서 10이 되는 두 수를 찾아 묶어 보세요.
5
주사위 두 수
주사위 4개를 굴렸습니다. 두 수의 합이 10이 되는 주사위 2개를 찾아 색칠해 보세요.

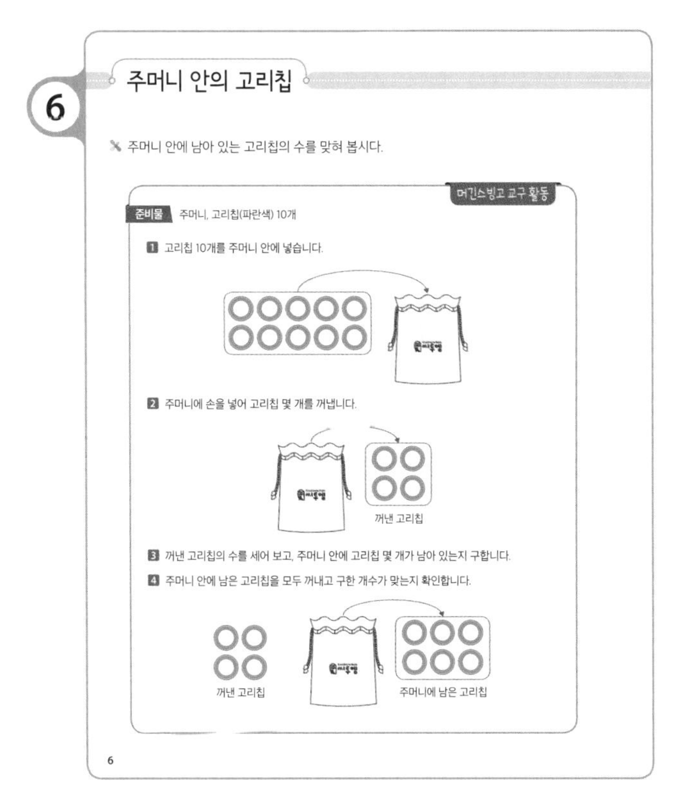

6 주머니 안의 고리칩

주머니 안에 남아 있는 고리칩의 수를 맞혀 봅시다.

머긴스빙고 교구 활동

준비물 주머니, 고리칩(파란색) 10개

1 고리칩 10개를 주머니 안에 넣습니다.

2 주머니에 손을 넣어 고리칩 몇 개를 꺼냅니다.

꺼낸 고리칩

3 꺼낸 고리칩의 수를 세어 보고, 주머니 안에 고리칩 몇 개가 남아 있는지 구합니다.

4 주머니 안에 남은 고리칩을 모두 꺼내고 구한 개수가 맞는지 확인합니다.

꺼낸 고리칩 / 주머니에 남은 고리칩

6

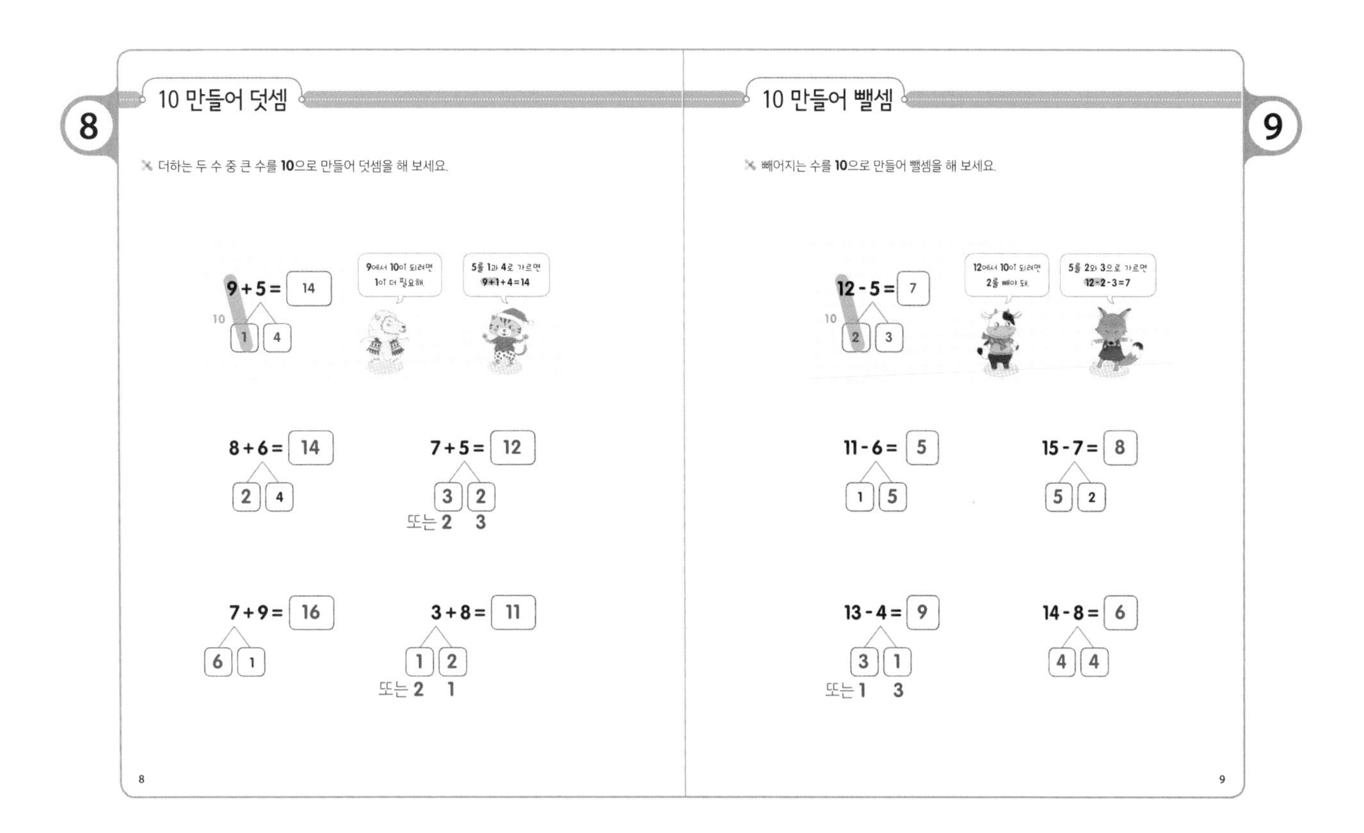

8 10 만들어 덧셈

더하는 두 수 중 큰 수를 **10**으로 만들어 덧셈을 해 보세요.

9 + 5 = 14 (10: 1, 4)

8 + 6 = 14 (2, 4)

7 + 5 = 12 (3, 2 또는 2, 3)

7 + 9 = 16 (6, 1)

3 + 8 = 11 (1, 2 또는 2, 1)

8

9 10 만들어 뺄셈

빼어지는 수를 **10**으로 만들어 뺄셈을 해 보세요.

12 - 5 = 7 (10: 2, 3)

11 - 6 = 5 (1, 5)

15 - 7 = 8 (5, 2)

13 - 4 = 9 (3, 1 또는 1, 3)

14 - 8 = 6 (4, 4)

9

머긴스빙고 A

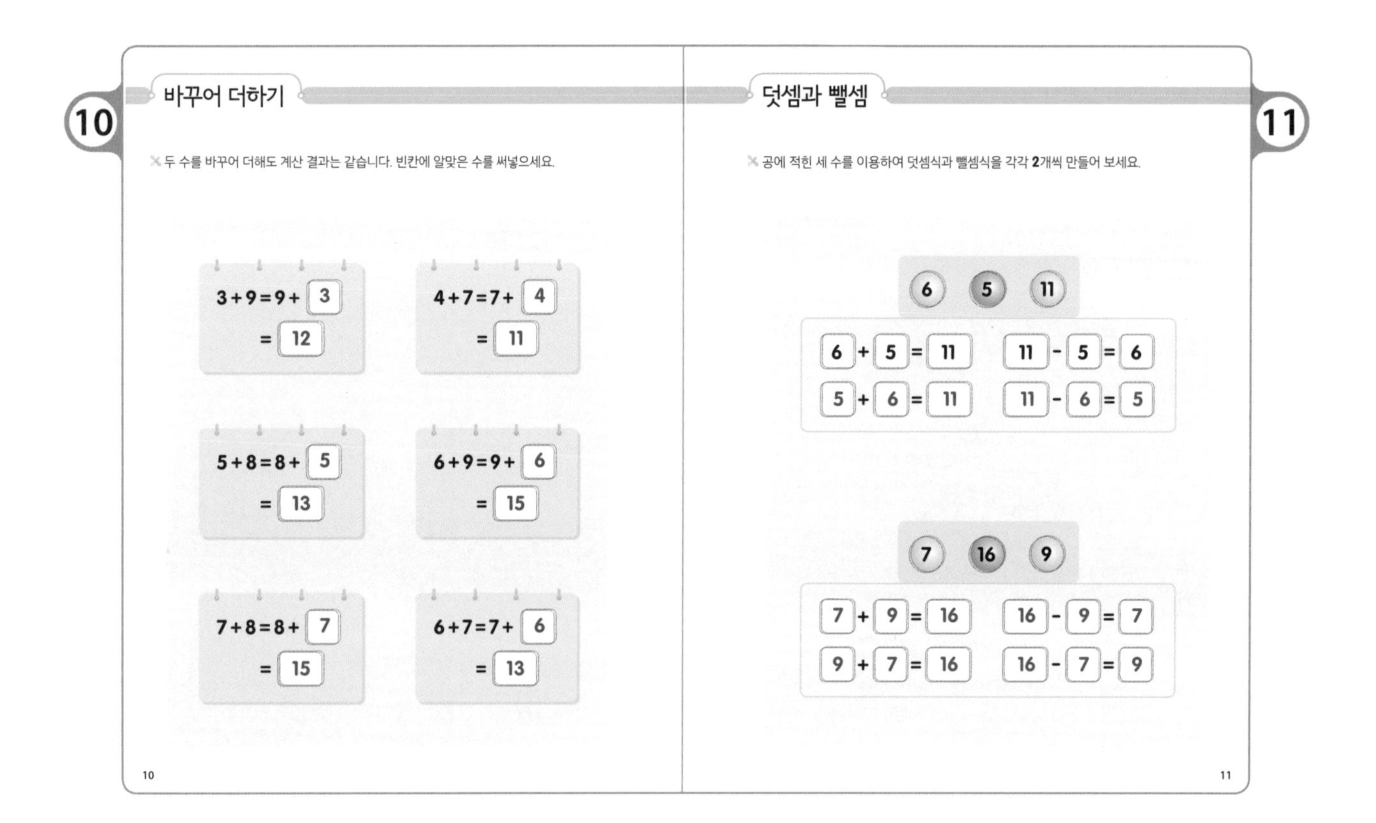

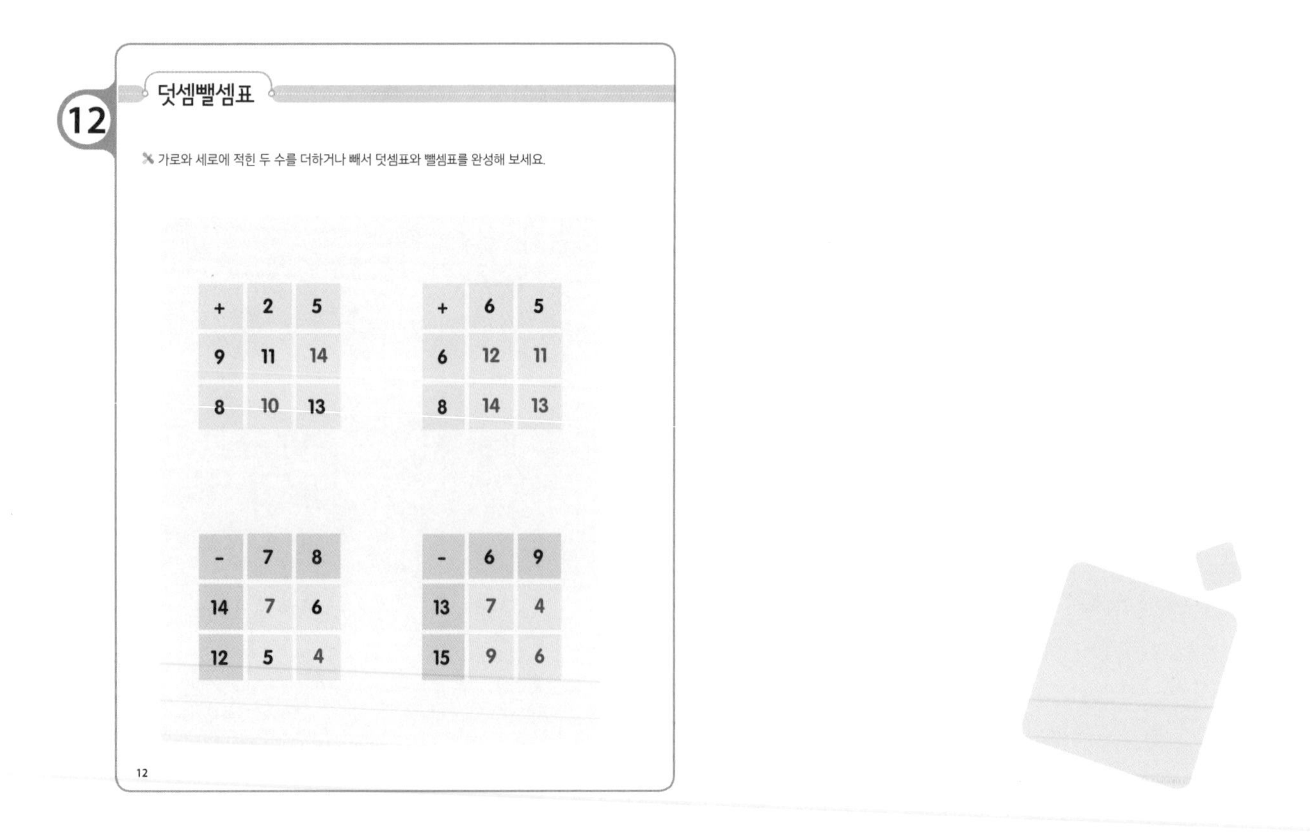

+	2	5
9	11	14
8	10	13

+	6	5
6	12	11
8	14	13

-	7	8
14	7	6
12	5	4

-	6	9
13	7	4
15	9	6

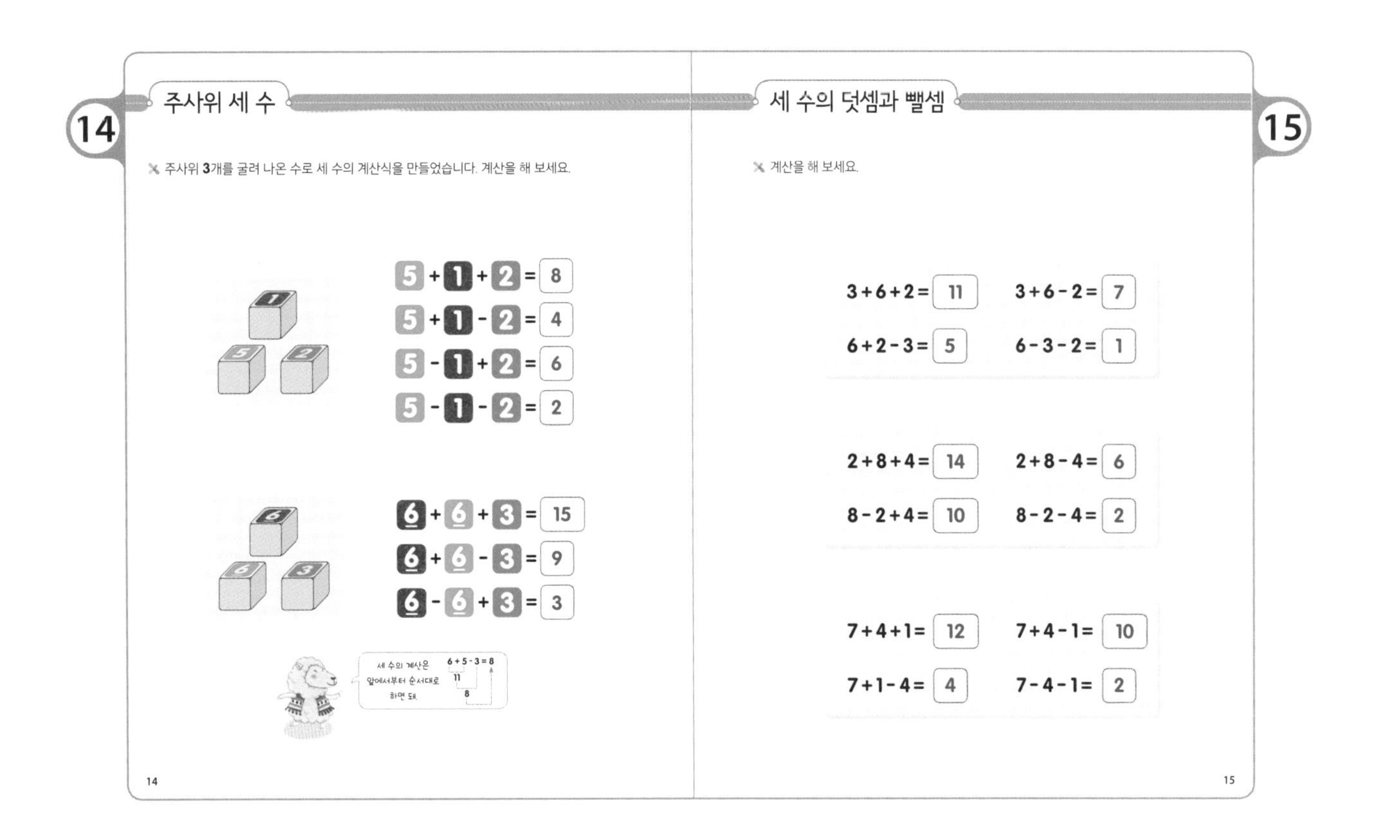
14
주사위 세 수
주사위 3개를 굴려 나온 수로 세 수의 계산식을 만들었습니다. 계산을 해 보세요.
5 + 1 + 2 = 8
5 + 1 - 2 = 4
5 - 1 + 2 = 6
5 - 1 - 2 = 2
6 + 6 + 3 = 15
6 + 6 - 3 = 9
6 - 6 + 3 = 3
세 수의 계산은 앞에서부터 순서대로 하면 돼.
6 + 5 - 3 = 8
11
8
14
15
세 수의 덧셈과 뺄셈
계산을 해 보세요.
3 + 6 + 2 = 11
3 + 6 - 2 = 7
6 + 2 - 3 = 5
6 - 3 - 2 = 1
2 + 8 + 4 = 14
2 + 8 - 4 = 6
8 - 2 + 4 = 10
8 - 2 - 4 = 2
7 + 4 + 1 = 12
7 + 4 - 1 = 10
7 + 1 - 4 = 4
7 - 4 - 1 = 2
15

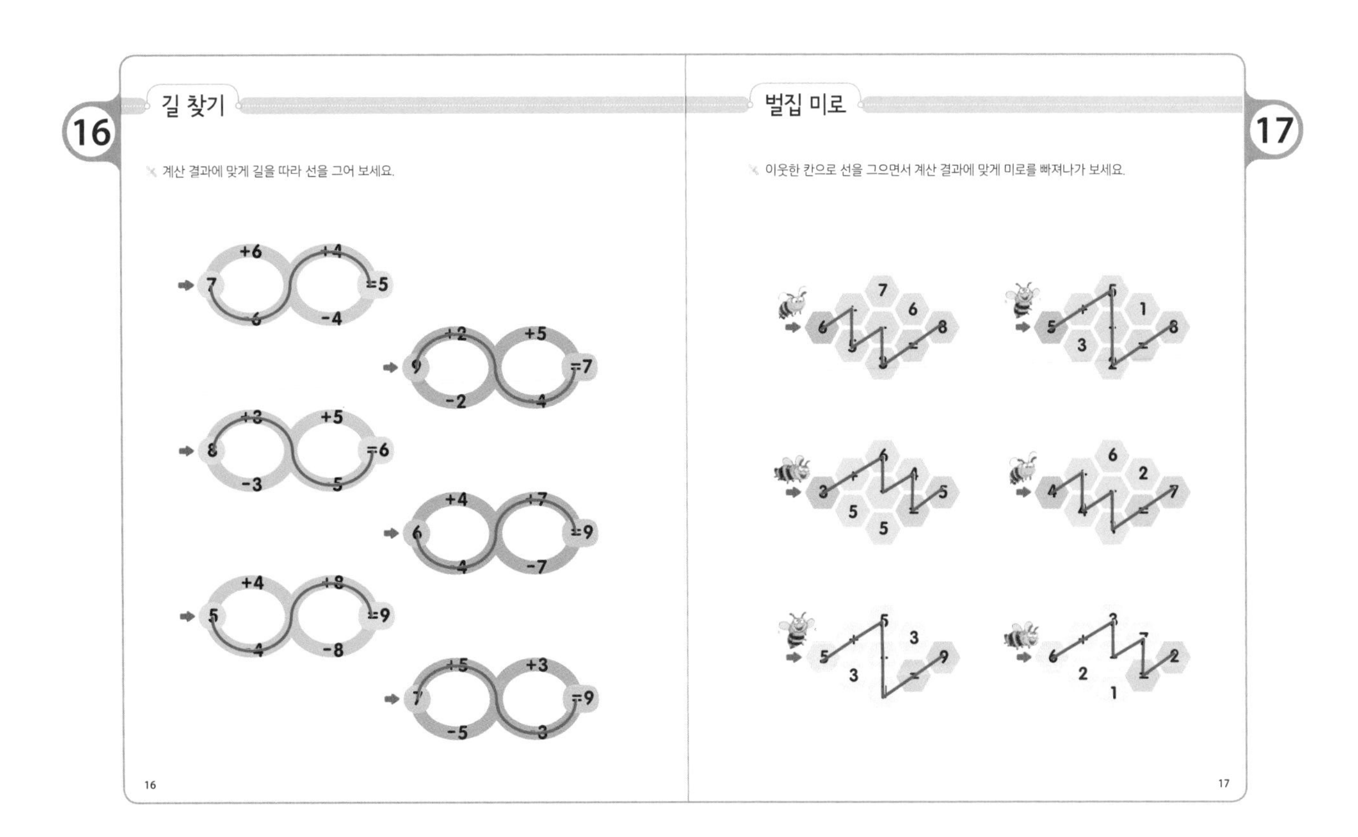
16
길 찾기
계산 결과에 맞게 길을 따라 선을 그어 보세요.
16
17
벌집 미로
이웃한 칸으로 선을 그으면서 계산 결과에 맞게 미로를 빠져나가 보세요.
17

머긴스빙고 A

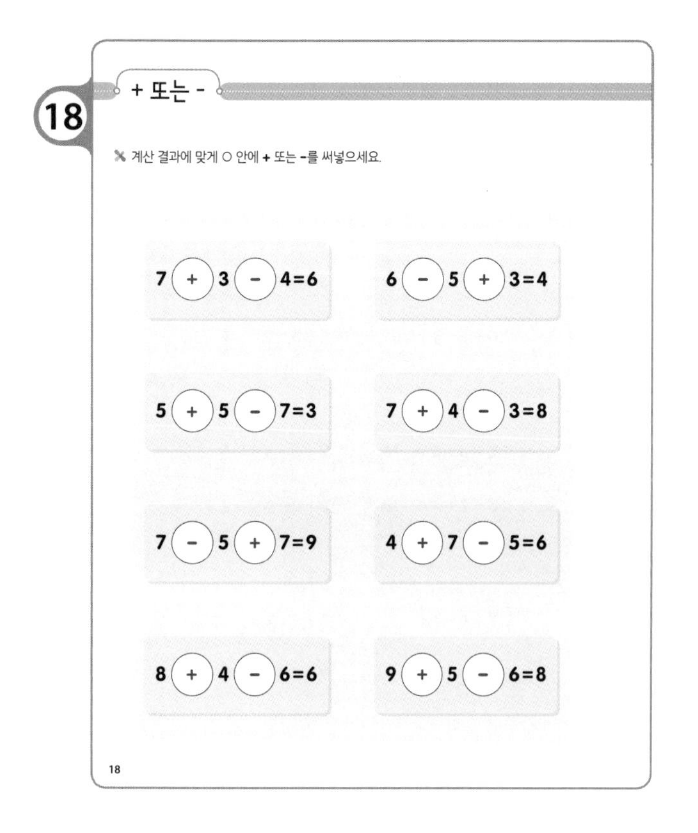

18 + 또는 -

계산 결과에 맞게 ○ 안에 + 또는 -를 써넣으세요.

7 (+) 3 (-) 4=6　　6 (-) 5 (+) 3=4

5 (+) 5 (-) 7=3　　7 (+) 4 (-) 3=8

7 (-) 5 (+) 7=9　　4 (+) 7 (-) 5=6

8 (+) 4 (-) 6=6　　9 (+) 5 (-) 6=8

18

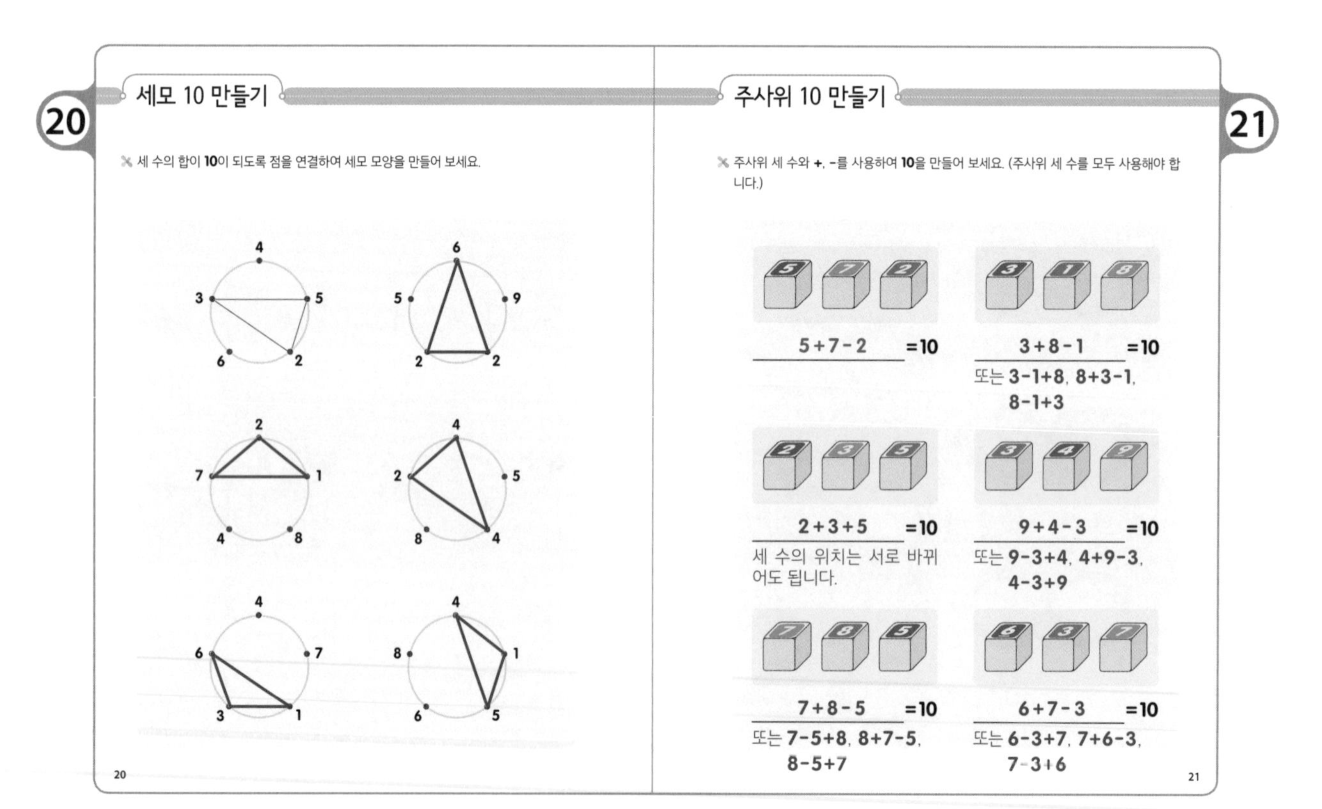

20 세모 10 만들기

세 수의 합이 10이 되도록 점을 연결하여 세모 모양을 만들어 보세요.

20

21 주사위 10 만들기

주사위 세 수와 +, -를 사용하여 10을 만들어 보세요. (주사위 세 수를 모두 사용해야 합니다.)

5 7 2: 5+7-2 =10

3 1 8: 3+8-1 =10
또는 3-1+8, 8+3-1, 8-1+3

2 3 5: 2+3+5 =10
세 수의 위치는 서로 바뀌어도 됩니다.

3 4 9: 9+4-3 =10
또는 9-3+4, 4+9-3, 4-3+9

7 8 5: 7+8-5 =10
또는 7-5+8, 8+7-5, 8-5+7

6 3 7: 6+7-3 =10
또는 6-3+7, 7+6-3, 7-3+6

21

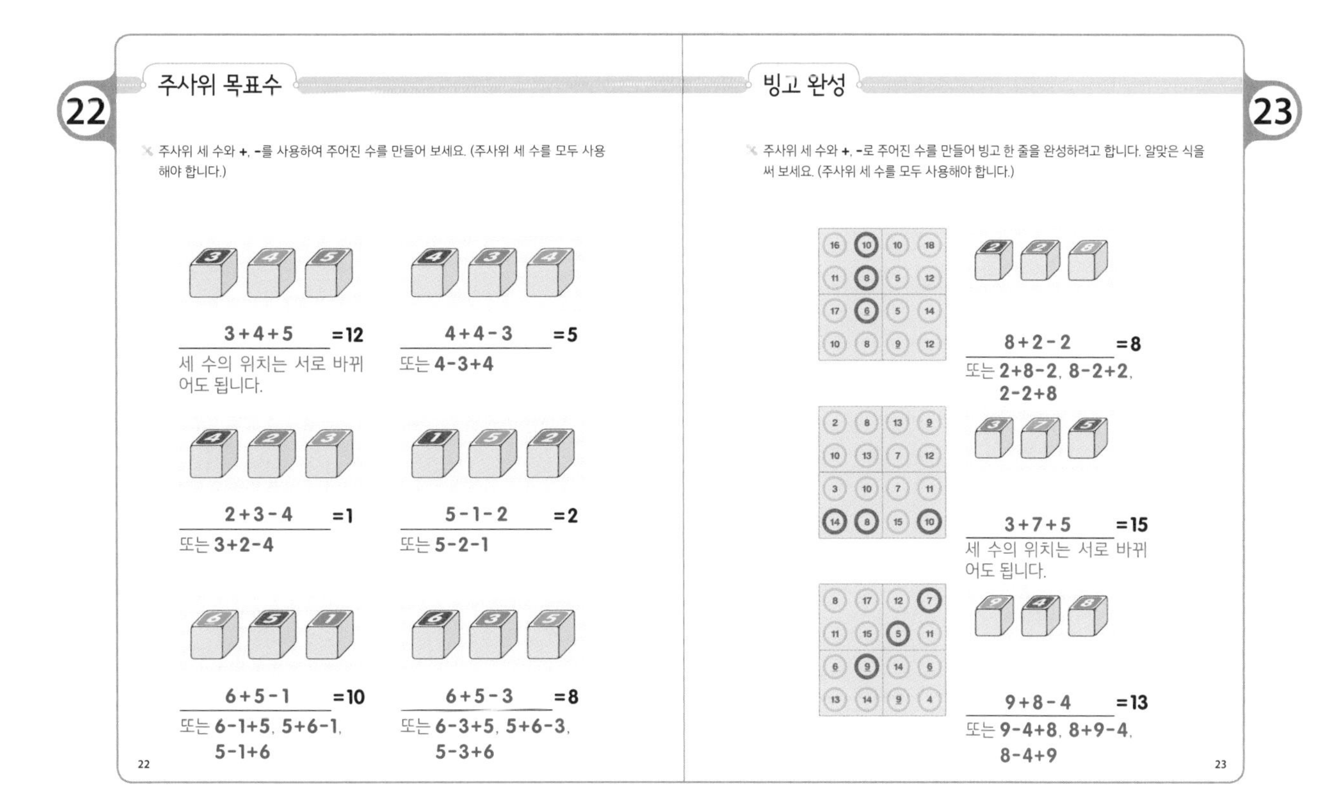

22 주사위 목표수

주사위 세 수와 +, -를 사용하여 주어진 수를 만들어 보세요. (주사위 세 수를 모두 사용해야 합니다.)

3+4+5 =12
세 수의 위치는 서로 바뀌어도 됩니다.

4+4-3 =5
또는 4-3+4

2+3-4 =1
또는 3+2-4

5-1-2 =2
또는 5-2-1

6+5-1 =10
또는 6-1+5, 5+6-1, 5-1+6

6+5-3 =8
또는 6-3+5, 5+6-3, 5-3+6

22

23 빙고 완성

주사위 세 수와 +, -로 주어진 수를 만들어 빙고 한 줄을 완성하려고 합니다. 알맞은 식을 써 보세요. (주사위 세 수를 모두 사용해야 합니다.)

8+2-2 =8
또는 2+8-2, 8-2+2, 2-2+8

3+7+5 =15
세 수의 위치는 서로 바뀌어도 됩니다.

9+8-4 =13
또는 9-4+8, 8+9-4, 8-4+9

23

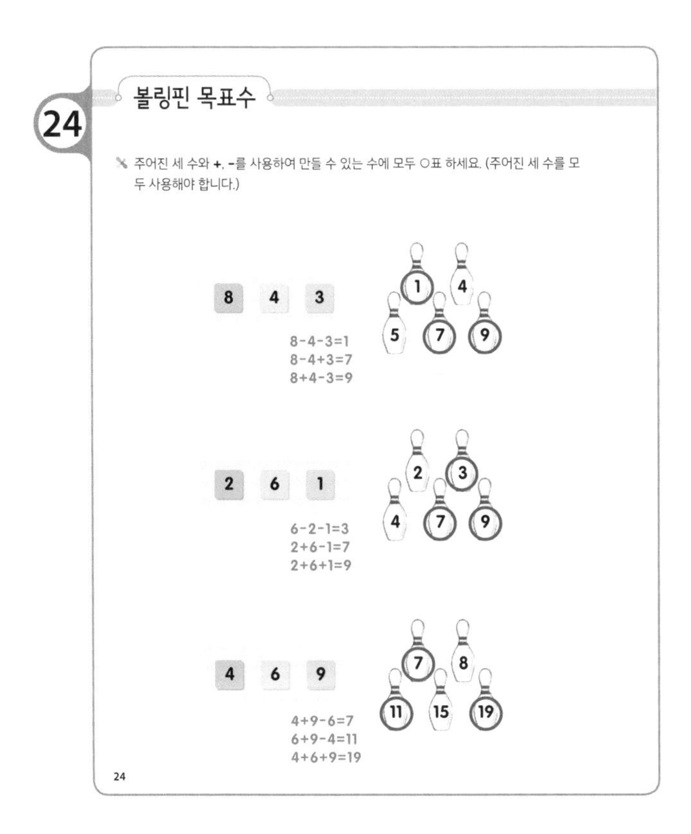

24 볼링핀 목표수

주어진 세 수와 +, -를 사용하여 만들 수 있는 수에 모두 ○표 하세요. (주어진 세 수를 모두 사용해야 합니다.)

8 4 3

8-4-3=1
8-4+3=7
8+4-3=9

2 6 1

6-2-1=3
2+6-1=7
2+6+1=9

4 6 9

4+9-6=7
6+9-4=11
4+6+9=19

24

MEMO

초등 수학 교구 상자

평면 공간감각을 길러주는 회전 펜토미노 퍼즐

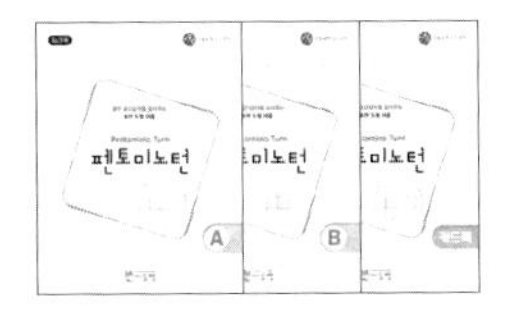

펜토미노턴

초등학생들이 어려워하는 '평면도형의 이동'을 펜토미노와 패턴블록으로 도형을 직접 돌려보며 재미있게 해결하는 공간감각 퍼즐입니다.

입체 공간감각을 길러주는 멀티큐브 퍼즐

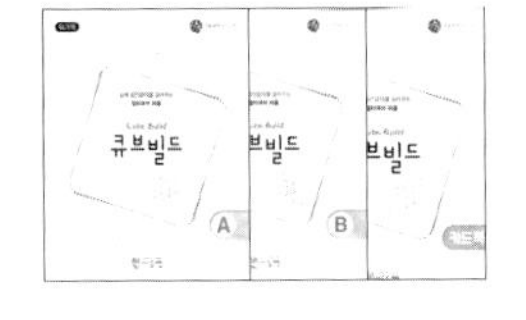

큐브빌드

머릿속으로 그리기 어려운 입체도형을 쌓기나무와 멀티큐브를 이용하여 직접 만들어 위, 앞, 옆 모양을 관찰하고, 다양한 입체 모양을 만드는 공간감각 퍼즐입니다.

도형감각을 길러주는 입체 칠교 퍼즐

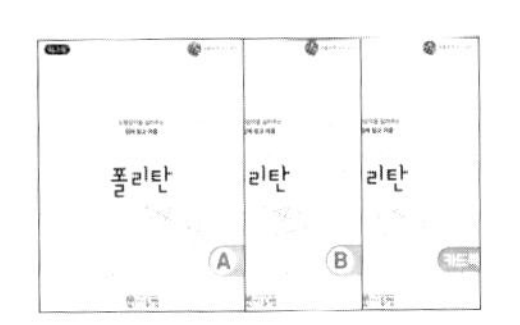

폴리탄

정사각형을 7조각으로 자른 '입체 칠교'와 직각이등변삼각형을 붙인 '입체 볼로'를 활용하여 평면뿐만 아니라 다양한 입체도형 문제를 해결하는 퍼즐입니다.

수 감각을 길러주는 창의 연산 보드 게임

머긴스빙고

빙고 게임과 머긴스 게임을 활용하여 수 감각과 연산 능력을 끌어올리고 전략적 사고를 키우는 사고력 보드 게임입니다.

공간감각을 길러주는 입체 폴리오미노 보드 게임

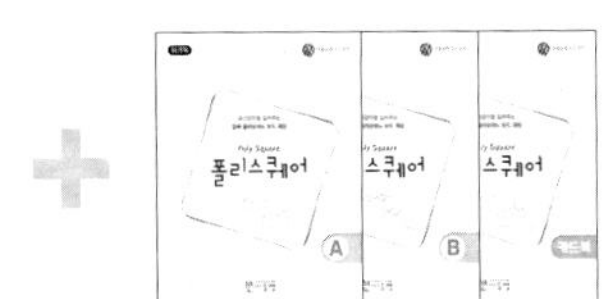

폴리스퀘어

모노미노부터 펜토미노까지의 폴리오미노를 이용하여 다양한 모양을 만들어 보고, 공간을 차지하는 게임으로 공간감각을 키우는 공간 점령 보드 게임입니다.

I hear and I forget 듣기만 한 것은 잊어버리고

I see and I remember 본 것은 기억되지만

I do and I understand 직접 해 본 것은 이해가 된다

Muggins Bingo

머긴스빙고

펴낸곳: ㈜씨투엠에듀 **발행인:** 한헌조

모델명: 필즈엠_머긴스빙고
제조년월: 2020년 2월
주소 및 전화번호: 경기도 수원시 장안구 파장로 7(태영빌딩 3층) / 031-548-1191
제조국명: 한국

워크북

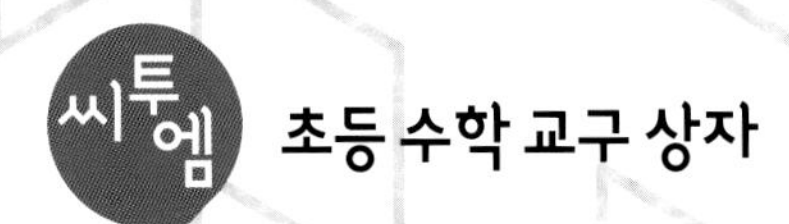

수감각을 길러주는

창의 연산 보드 게임

Muggins Bingo

머긴스빙고

B

차 례

"꿈꾸는 아이들을 위한 교육 사다리"

논리와 재미, 즐거운 수학 교육을 위한 최고의 콘텐츠를 만들겠습니다

- 법인명: ㈜씨투엠에듀(C2MEDU corp.)
- CEO: 한헌조
- 창립연도: 2014년 10월
- 홈페이지: www.c2medu.co.kr

01 곱셈구구 1

연관 활동: 교구 매뉴얼 activity 2

귀족들의 구구셈

흔히 구구단이라고 말하는 것이 곱셈구구입니다. 곱셈구구는 '이일은 이, 이이 사 ……'와 같이 2단부터 시작하는데 왜 구구단이라고 부를까요? 곱셈구구는 약 1200년 전에 중국에서 전해져 왔는데 그 당시에는 곱셈구구를 '구구 팔십일, 구팔 칠십이' 처럼 9단부터 외웠기 때문에 구구단이라고 불렀습니다.
옛날에는 구구단을 배우는 사람이 어린이가 아니라 어른이었습니다. 또, 계산을 하는 것은 일반 사람이 아닌 귀족과 같은 신분이 높은 사람만이 할 수 있는 특별한 일이었습니다. 그래서 귀족들은 일반 사람들이 구구단을 어렵게 느끼도록 쉬운 2단이 아닌 어려운 9단부터 외우도록 했습니다.

덧셈과 곱셈

계산 결과가 같은 것끼리 이어 보세요.

9+9+9 ·	· 3×4 ·	· 10
5+5 ·	· 5×2 ·	· 12
3+3+3+3 ·	· 9×3 ·	· 30
6+6+6+6+6 ·	· 4×4 ·	· 27
4+4+4+4 ·	· 6×5 ·	· 16

바람개비 곱셈

가로, 세로로 두 수를 곱해 빈칸에 써넣으세요.

		15	
6	2	3	
	4	5	

	3	7	
	6	4	

	3	6	
	5	9	

	7	7	
	5	8	

곱셈표

가로와 세로에 적힌 두 수를 곱해 곱셈표를 완성해 보세요.

×	2	3	6
3	6		
4		12	
5			30

×	3	5	7
2			
3			
4			

×	5	7	8
4			
5			
6			

×	6	8	9
7			
8			
9			

곱셈구구표

가로와 세로에 적힌 두 수를 곱해 곱셈구구표를 완성해 보세요.

×	1	2	3	4	5	6	7	8	9
1			3		5		7		9
2		4	6	8		12			
3	3				15		21		
4		8		16	20			32	
5		10				30			45
6	6	12					42		
7				28					
8	8				40				
9			27						

빙고 한 줄

✖ 곱셈식을 만들어 빙고 한 줄을 완성하려고 합니다. 빈칸에 알맞은 수를 써넣으세요.

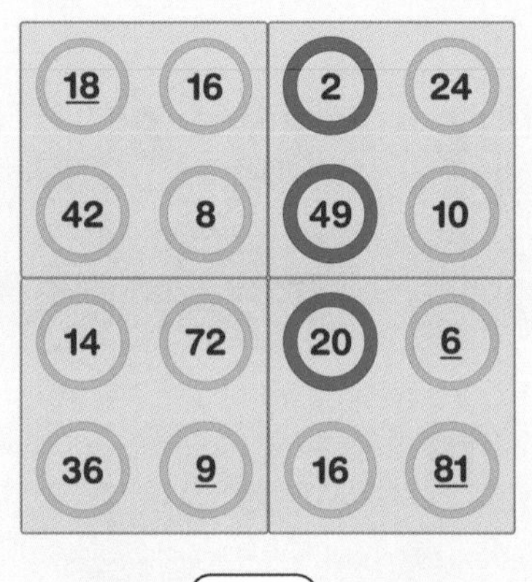

$2 \times \square = 16$

$8 \times \square = 40$

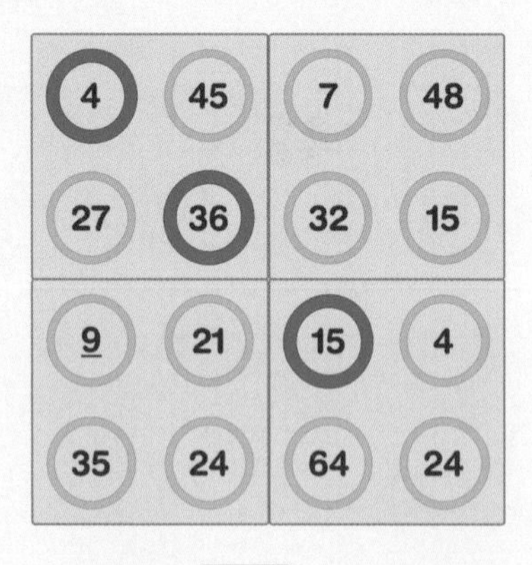

$3 \times \square = 24$

16	63	10	56
42	4	18	6
12	25	8	54
8	36	28	18

$9 \times \square = 54$

02 곱셈구구 2

연관 활동: 교구 매뉴얼 activity 2

곱셈구구의 규칙

곱셈구구 각 단을 살펴보면 여러 가지 규칙을 찾을 수 있습니다.
2의 단 곱은 일의 자리 숫자가 2, 4, 6, 8, 0이 반복됩니다.
4의 단 곱은 일의 자리 숫자가 4, 8, 2, 6, 0이 반복됩니다.
5의 단 곱은 일의 자리 숫자가 5, 0이 반복됩니다.
8의 단 곱은 일의 자리 숫자가 8, 6, 4, 2, 0이 반복됩니다.
9의 단 곱은 일의 자리 숫자가 1씩 작아지고, 십의 자리 숫자는 1씩 커집니다. 또한 9의 단 곱의 십의 자리와 일의 자리 숫자를 더하면 9가 됩니다.
3의 단 곱은 일의 자리와 십의 자리를 더했을 때 3의 배수가 됩니다.
3, 7, 9의 단 곱은 일의 자리 숫자가 1부터 9까지 한 번씩 나옵니다.

곱셈구구의 값

※ ◯ 안의 단 곱셈구구의 값에 모두 색칠해 보세요.

④의 단 ➡

4	10	21	24	28
13	12	8	35	31
36	7	18	22	20
34	26	32	16	29

⑦의 단 ➡

9	13	62	7	32
14	63	56	54	42
21	72	49	35	24
34	16	28	20	40

⑨의 단 ➡

12	9	16	53	35
26	64	18	63	80
42	72	20	17	45
54	81	27	71	36

주사위 곱셈

주사위 세 수 중 두 수를 곱합니다. 나올 수 있는 곱셈 결과에 모두 ○표 하세요.

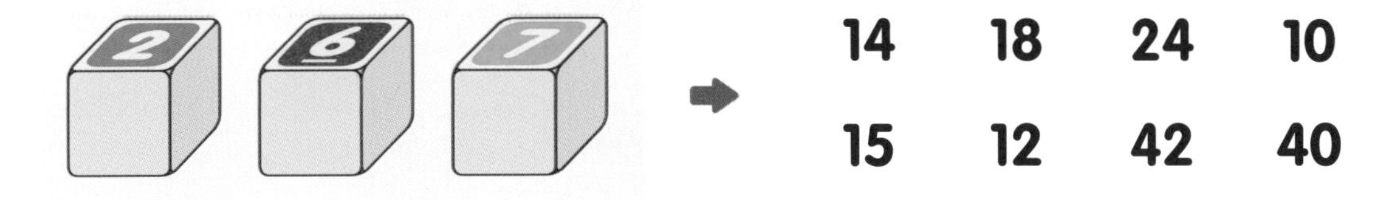

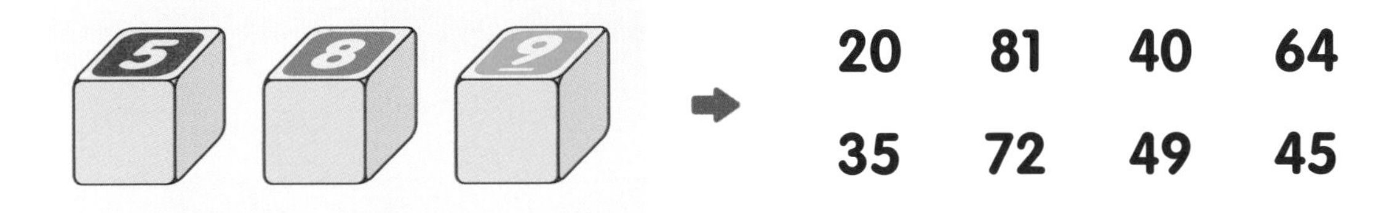

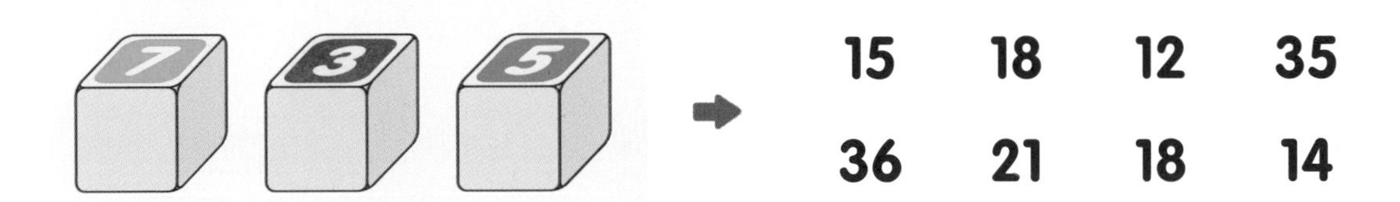

결과가 같은 곱셈

안의 수를 여러 가지 곱셈식으로 나타내어 보세요.

16

2 × ☐

4 × ☐

8 × ☐

36

4 × ☐

6 × ☐

9 × ☐

18

2 × ☐

3 × ☐

6 × ☐

9 × ☐

24

3 × ☐

4 × ☐

6 × ☐

8 × ☐

곱셈식 만들기

주어진 네 숫자를 모두 사용하여 곱셈식을 만들어 보세요.

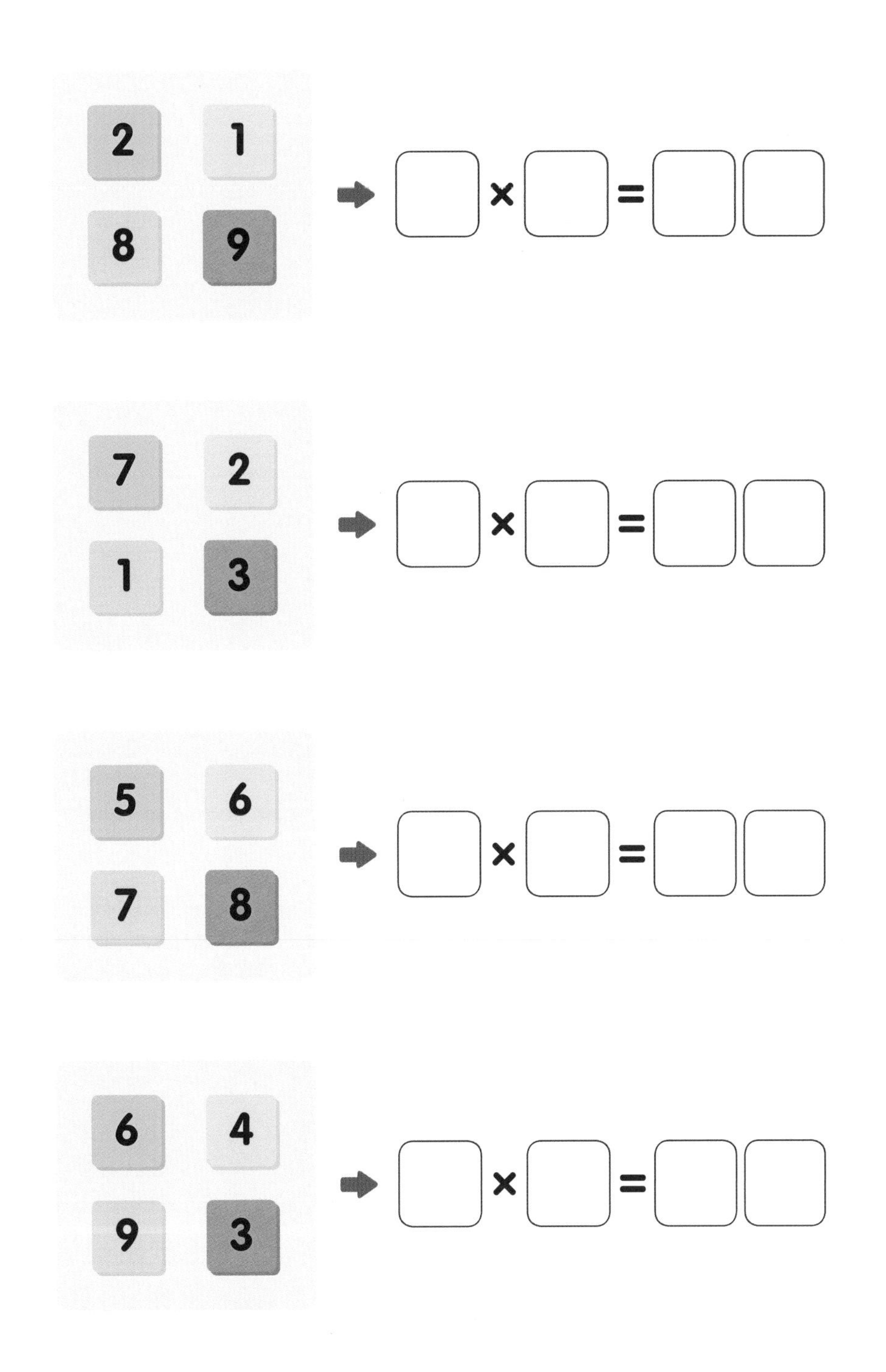

조건에 맞는 수

조건에 맞는 수를 구하세요.

3, **6**의 단 곱셈구구에 모두 나오는 수입니다.
4×5보다 작습니다.
9의 단 곱셈구구에도 나오는 수입니다.

☐

같은 두 수를 곱했을 때의 값입니다.
4×8보다 큽니다.
6의 단 곱셈구구에도 나오는 수입니다.

☐

3의 단 곱셈구구에 나오는 수입니다.
6×3보다 작습니다.
2×4와 **5×1**을 더한 값보다 큽니다.

☐

5의 단 곱셈구구에 나오는 수입니다.
6×6보다 큽니다.
숫자 중 하나는 **5**입니다.

☐

03 머긴스

연관 활동: 교구 매뉴얼 activity 4

혼합 계산의 순서

사칙연산은 계산의 순서에 따라 값이 달라지기 때문에 계산의 순서가 중요합니다. 덧셈과 뺄셈이 섞여 있거나 또는 곱셈과 나눗셈이 섞여 있는 식은 앞에서부터 차례대로 계산합니다.

덧셈, 뺄셈, 곱셈이 섞여 있는 식은 곱셈을 먼저 계산한 다음 앞에서부터 차례대로 계산합니다. 덧셈, 뺄셈, 나눗셈이 섞여 있는 식도 곱셈과 마찬가지로 나눗셈을 먼저 계산하고 앞에서부터 차례대로 계산합니다.

만약 식에 ( )가 있다면 ( ) 안을 가장 먼저 계산합니다. ( ) 안을 먼저 계산할 때에도 ( ) 안에 덧셈, 뺄셈, 곱셈이 있으면 곱셈을 먼저 계산한 다음 ( ) 안의 덧셈과 뺄셈을 계산합니다.

$$16-5+(3+1\times7)\div2=16$$

①: 1×7, ②: $3+7$, ③: $10\div2$, ④: $16-5$, ⑤: $11+5$

혼합 계산의 순서

혼합 계산

빈칸에 알맞은 수를 써넣으세요.

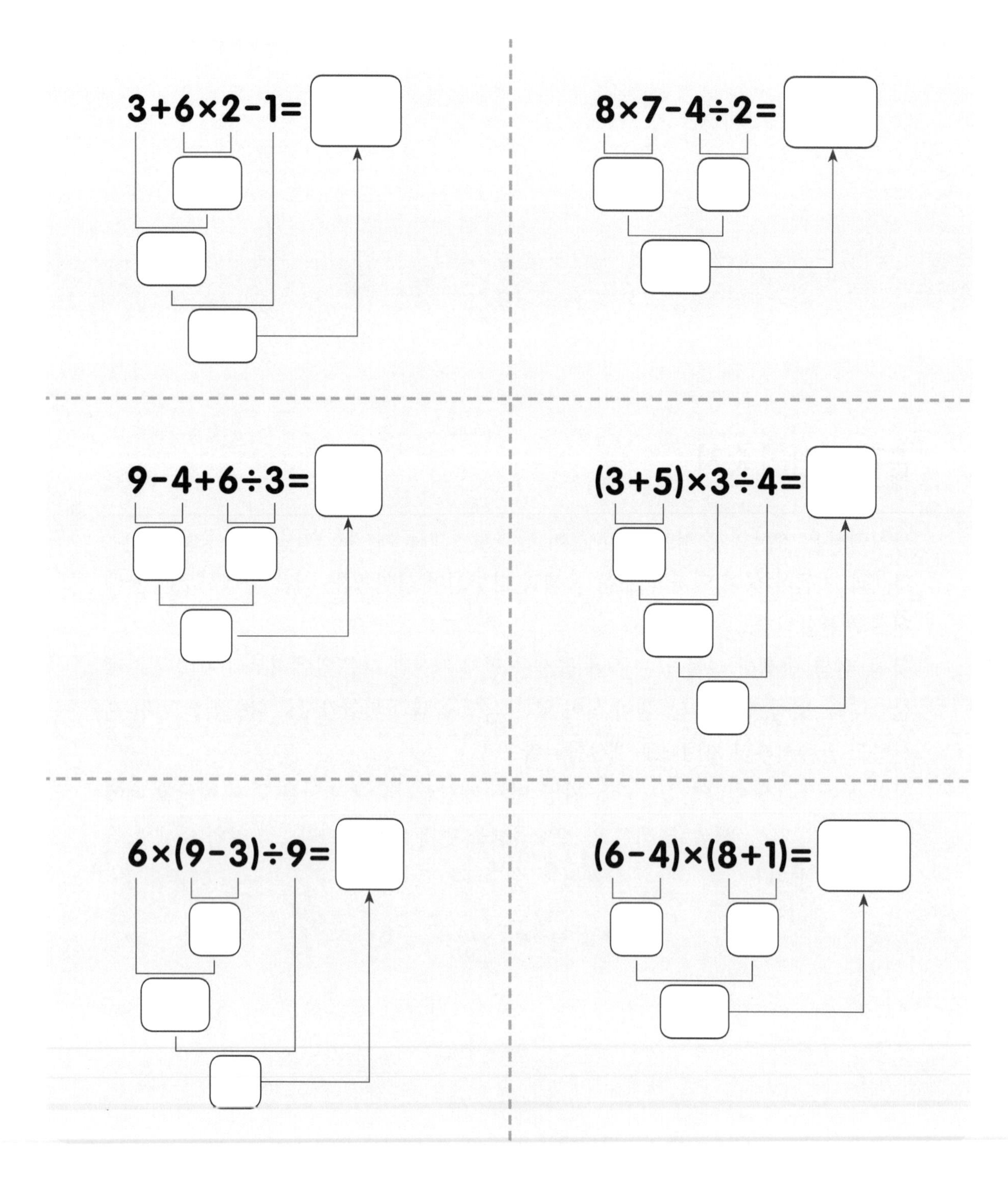

주사위 계산

주사위 세 수 또는 네 수로 여러 가지 식을 만들었습니다. 계산을 해 보세요.

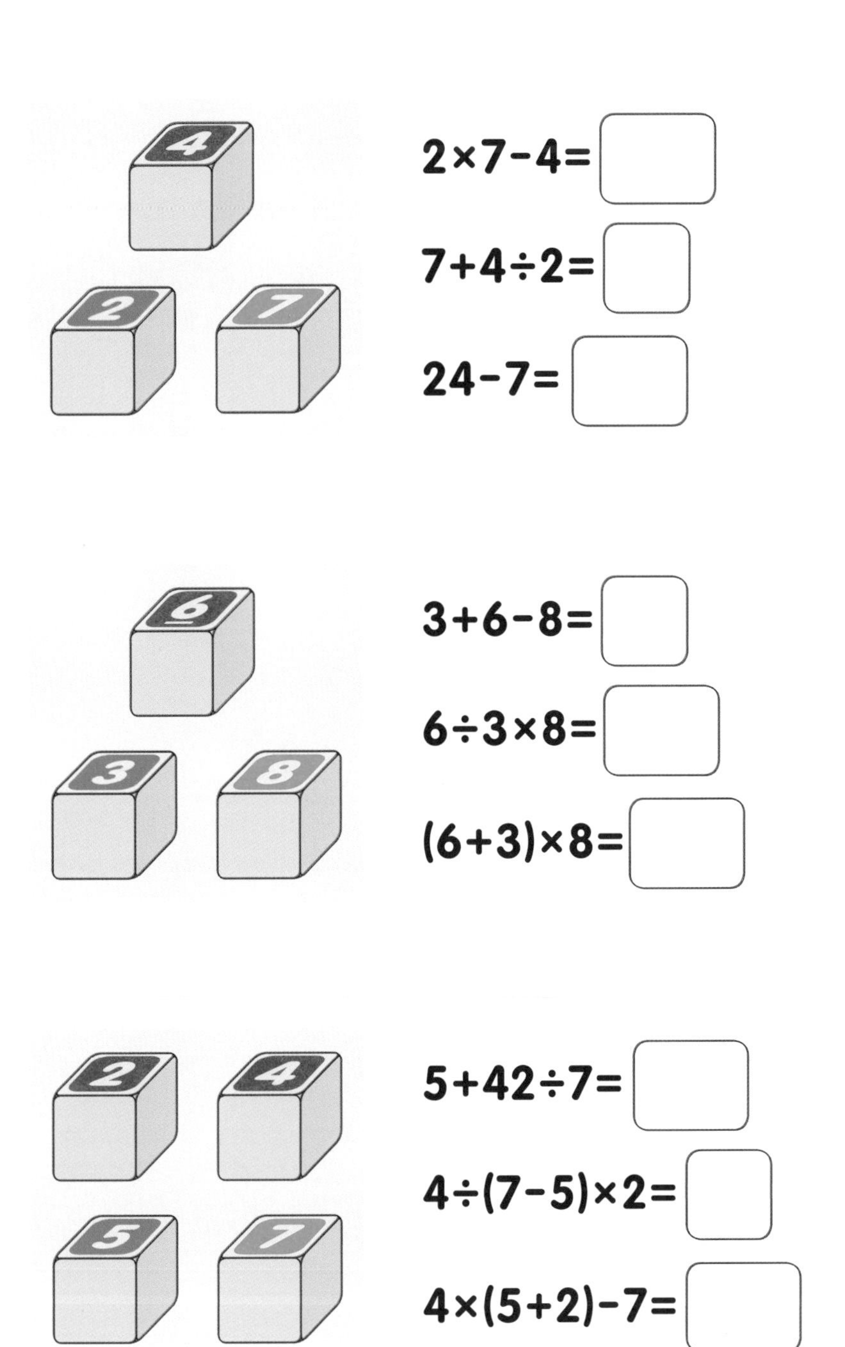

사다리 타기

사다리는 위쪽 수에서 선을 따라 내려가다가 갈림길을 만나면 무조건 오른쪽 또는 왼쪽으로 꺾으면서 내려갑니다. 사타리를 타고 내려가면서 계산을 해 보세요.

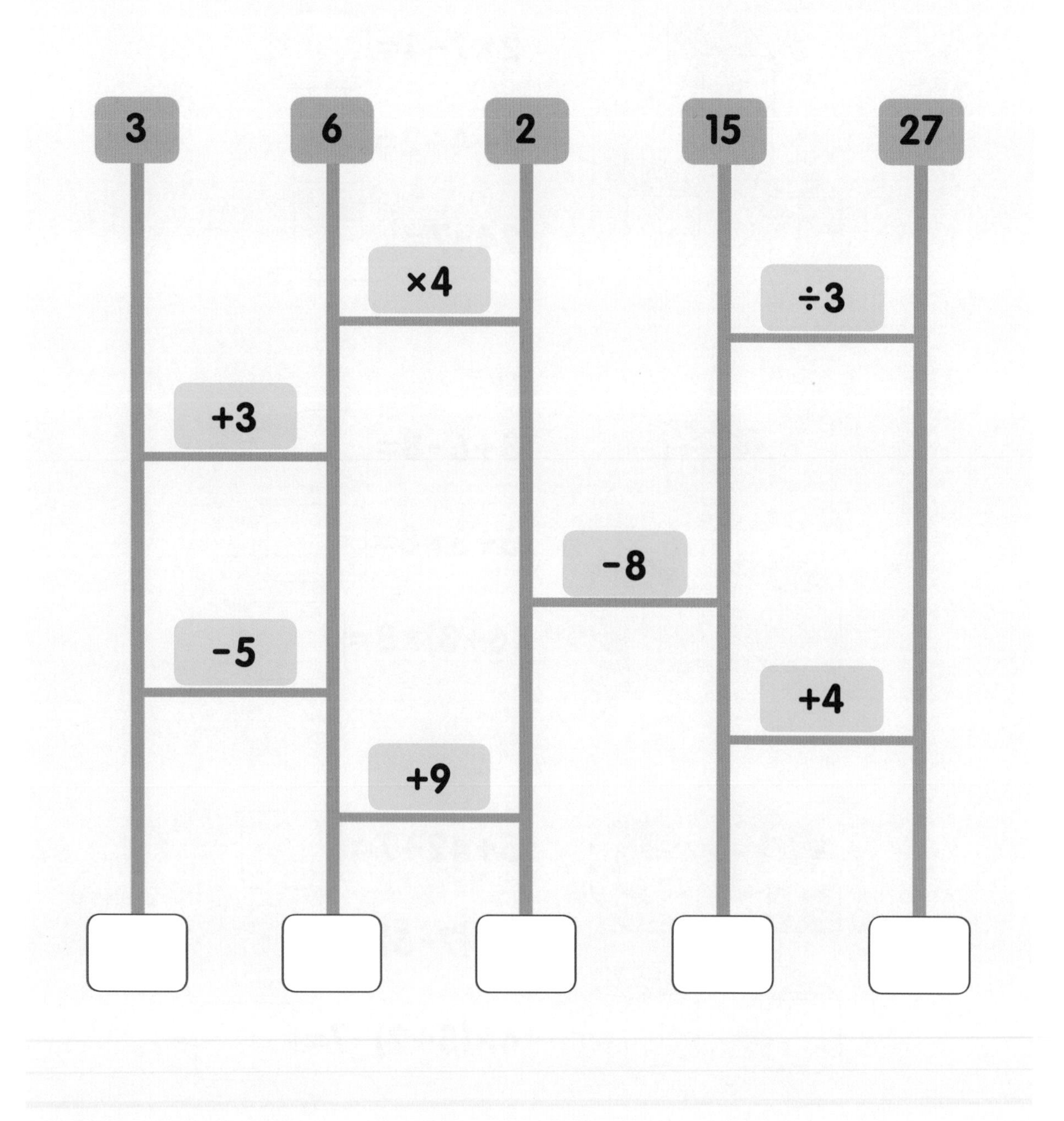

벌집 미로

이웃한 칸으로 선을 그으면서 계산 결과에 맞게 미로를 빠져나가 보세요.

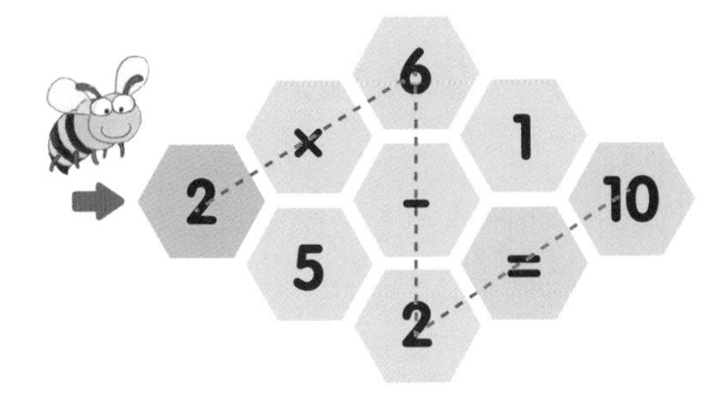

4
×
2
3
+
12
3
=
3

5
×
5
4
-
19
6
=
6

8
÷
4
48
+
10
6
=
3

8
÷
7
72
-
1
9
=
10

6
÷
6
30
×
35
5
=
7

괄호 넣기

식이 성립하도록 (   )로 묶어 보세요.

$2 \times 6 + 1 = 14$

$8 - 2 \times 4 = 24$

$4 + 5 \times 5 = 45$

$32 \div 8 - 4 = 8$

$5 - 3 \times 6 - 2 = 10$

$7 \times 1 + 2 + 2 = 23$

$6 \times 3 + 1 \div 8 = 3$

$5 + 4 \times 7 - 3 = 21$

04 목표수

연관 활동: 교구 매뉴얼 activity 4, 5

포포즈(four fours)

포포즈(four fours)는 4개의 4와 수학 기호를 사용하여 0과 모든 자연수를 만들어 내는 퍼즐입니다. 예를 들어 0은 4-4+4-4 또는 44-44로 만들 수 있습니다.
포포즈와 유사한 퍼즐로 포나인즈(four nines)가 있는데 포나인즈 역시 4개의 9와 수학 기호를 사용하여 수를 만드는 것입니다.
이러한 포포즈 문제는 숫자와 수학 기호를 사용하여 목표수를 만드는 과정에서 수와 연산 감각을 기르는 동시에 창의성과 문제해결능력을 길러줍니다.

4 4 4 4

\+ − ÷ ×

4-4+4-4=0
4÷4×4÷4=1
4÷4+4÷4=2
(4+4+4)÷4=3
(4-4)×4+4=4
(4×4+4)÷4=5
(4+4)÷4+4=6
4-4÷4+4=7
4+4+4-4=8
4÷4+4+4=9

세 수와 ×, ÷를 사용하여 주어진 수를 만들어 보세요. (주어진 세 수를 모두 사용해야 합니다.)

2 4 6

$24 \div 6$ =4

$6 \div 2 \times 4$ =12

3 6 9

______ =2

______ =7

2 4 8

______ =1

______ =16

1 8 9

______ =9

______ =72

주사위 세 수

주사위 세 수와 +, -, ×, ÷, (   )를 사용하여 주어진 연속수를 만들어 보세요. (주어진 세 수를 모두 사용해야 합니다.)

_______________ =8

_______________ =9

_______________ =17

_______________ =18

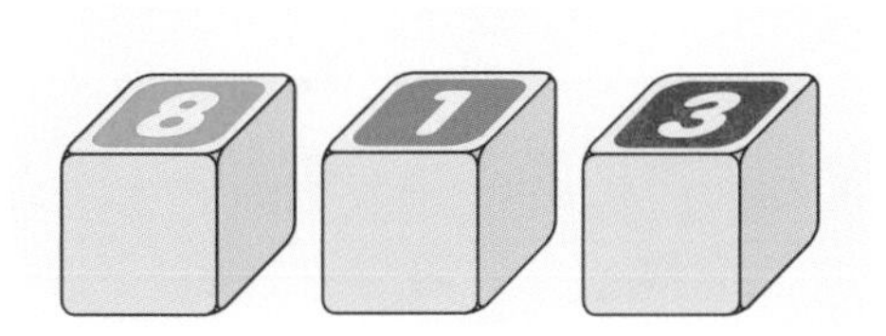

_______________ =23

_______________ =24

볼링핀 목표수

주어진 세 수와 +, −, ×, ÷, ( )를 이용하여 만들 수 있는 수에 모두 ○표 하세요. (주어진 세 수를 모두 사용해야 합니다.)

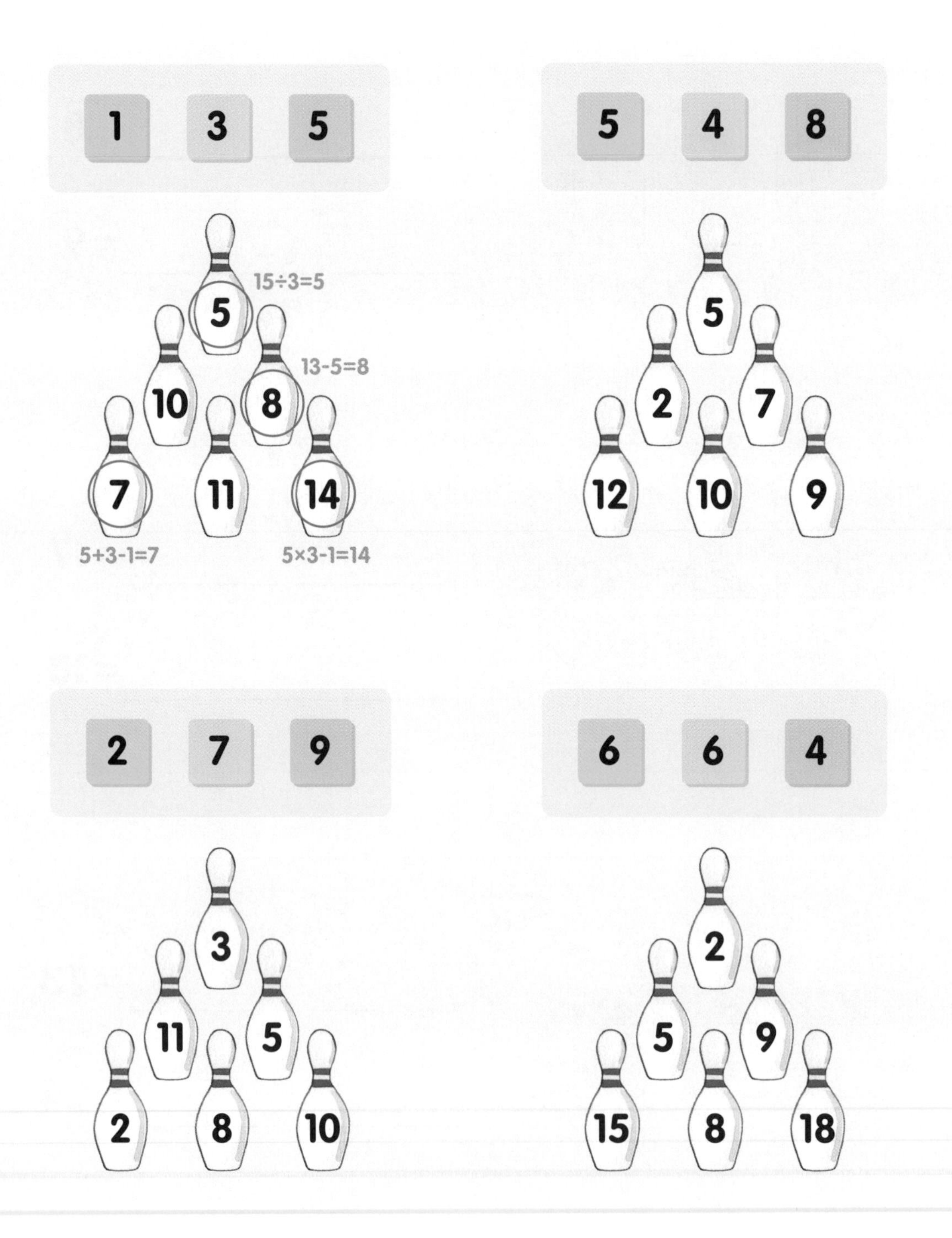

주사위 네 수

주사위 네 수와 **+**, **−**, **×**, **÷**, **(　)**를 이용하여 주어진 수를 만들어 보세요. (주어진 네 수를 모두 사용해야 합니다.)

__________________ **=10**

__________________ **=20**

__________________ **=30**

__________________ **=36**

자동차 번호판

주어진 네 수와 +, −, ×, ÷, ( )를 사용하여 주어진 수를 만들어 보세요. (주어진 네 수를 모두 사용해야 합니다.)

1 6 1 6

11+66 =77

_______________ =36

8 2 8 2

_______________ =10

_______________ =20

2 4 6 8

_______________ =15

_______________ =24

9 9 9 9

_______________ =1

_______________ =100

정 답

머긴스빙고 B

머긴스빙고 B

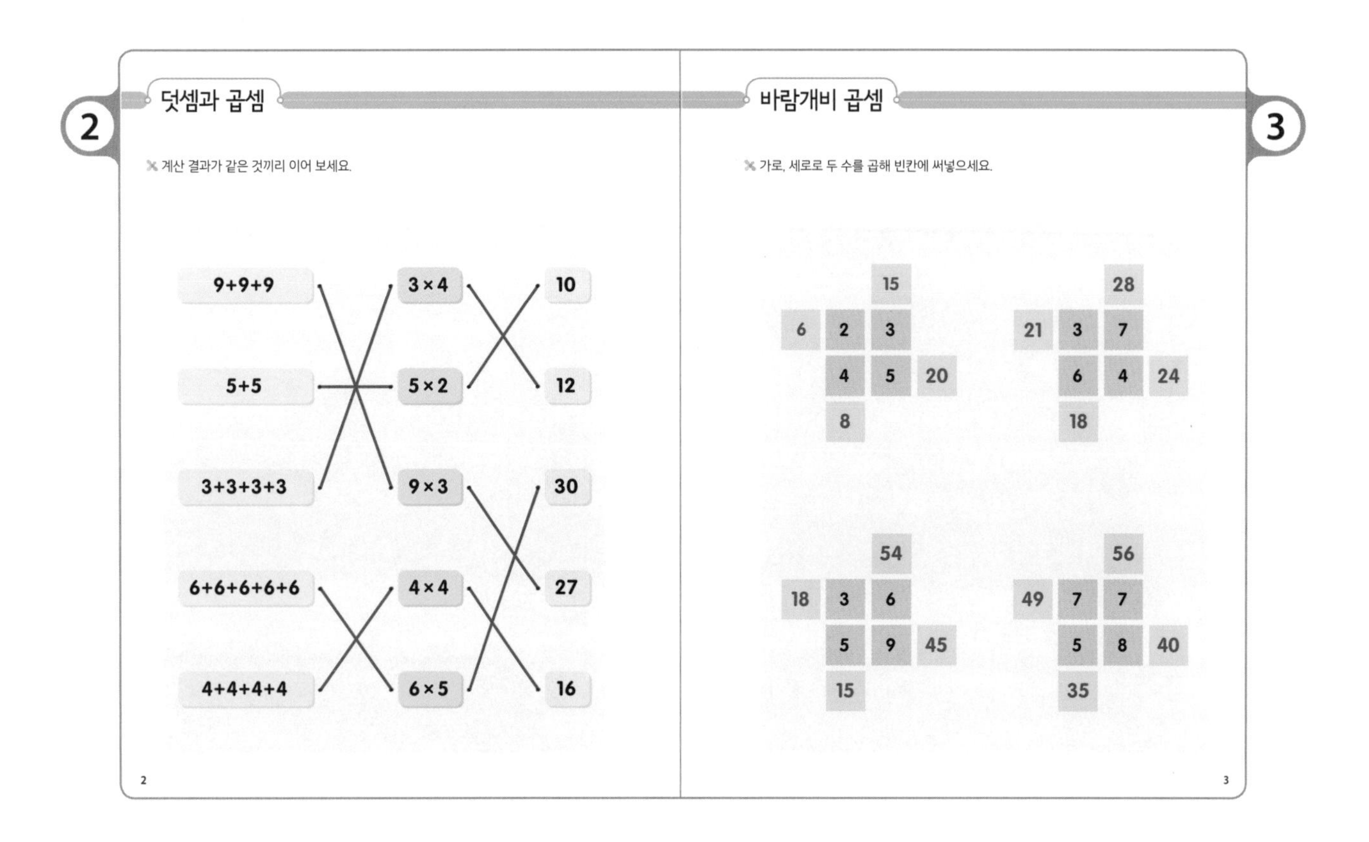

2 덧셈과 곱셈

계산 결과가 같은 것끼리 이어 보세요.

9+9+9	3×4	10
5+5	5×2	12
3+3+3+3	9×3	30
6+6+6+6+6	4×4	27
4+4+4+4	6×5	16

2

3 바람개비 곱셈

가로, 세로로 두 수를 곱해 빈칸에 써넣으세요.

		15	
6	2	3	
	4	5	20
	8		

		28	
21	3	7	
	6	4	24
	18		

		54	
18	3	6	
	5	9	45
	15		

		56	
49	7	7	
	5	8	40
	35		

3

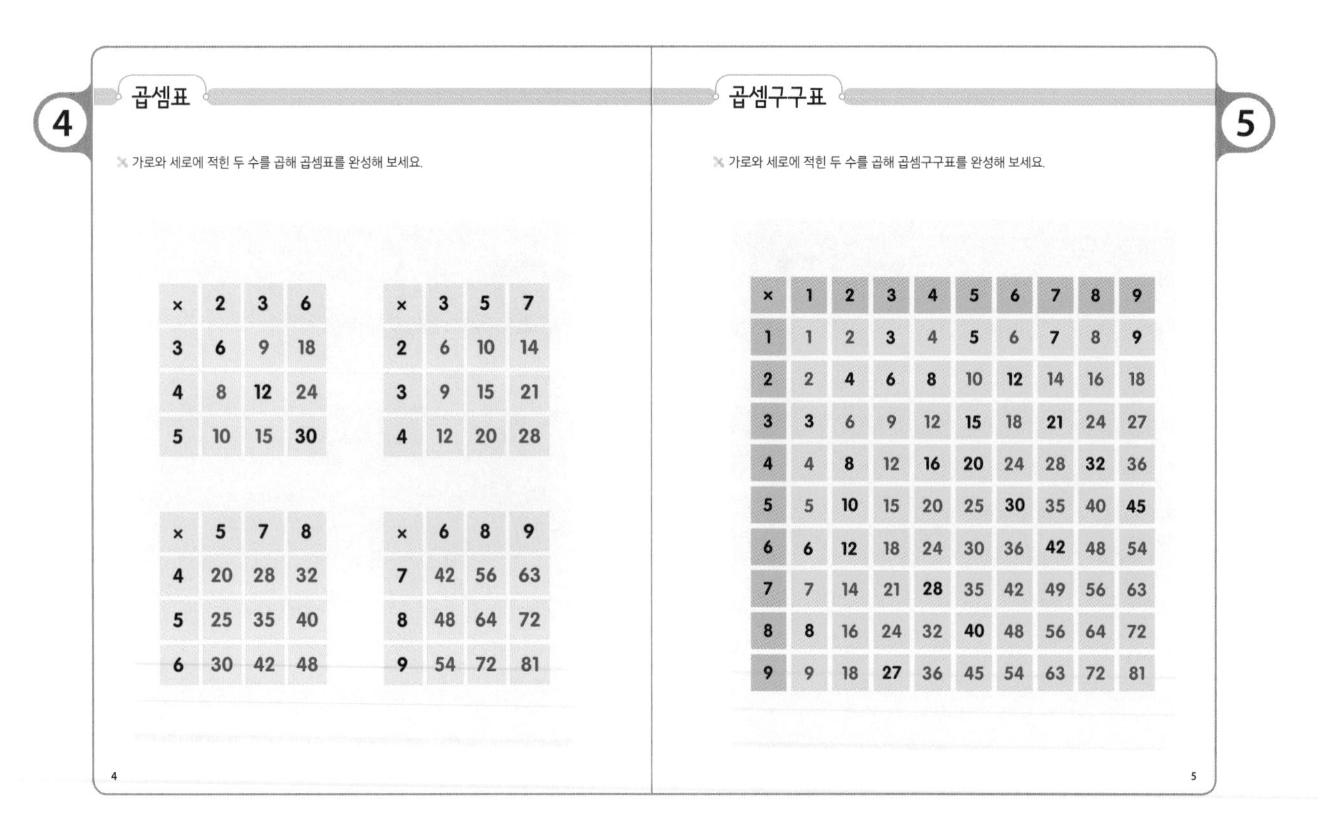

4 곱셈표

가로와 세로에 적힌 두 수를 곱해 곱셈표를 완성해 보세요.

×	2	3	6
3	6	9	18
4	8	12	24
5	10	15	30

×	3	5	7
2	6	10	14
3	9	15	21
4	12	20	28

×	5	7	8
4	20	28	32
5	25	35	40
6	30	42	48

×	6	8	9
7	42	56	63
8	48	64	72
9	54	72	81

4

5 곱셈구구표

가로와 세로에 적힌 두 수를 곱해 곱셈구구표를 완성해 보세요.

×	1	2	3	4	5	6	7	8	9
1	1	2	3	4	5	6	7	8	9
2	2	4	6	8	10	12	14	16	18
3	3	6	9	12	15	18	21	24	27
4	4	8	12	16	20	24	28	32	36
5	5	10	15	20	25	30	35	40	45
6	6	12	18	24	30	36	42	48	54
7	7	14	21	28	35	42	49	56	63
8	8	16	24	32	40	48	56	64	72
9	9	18	27	36	45	54	63	72	81

5

6 빙고 한 줄

곱셈식을 만들어 빙고 한 줄을 완성하려고 합니다. 빈칸에 알맞은 수를 써넣으세요.

18	16	2	24
42	8	49	10
14	72	20	6
36	9	16	81

2 × 8 = 16

3	28	1	12
54	40	30	9
5	12	6	40
32	30	21	27

8 × 5 = 40

4	45	7	48
27	36	32	15
9	21	15	4
35	24	64	24

3 × 8 = 24

16	63	10	56
42	4	18	6
12	25	8	54
8	36	28	18

9 × 6 = 54

6

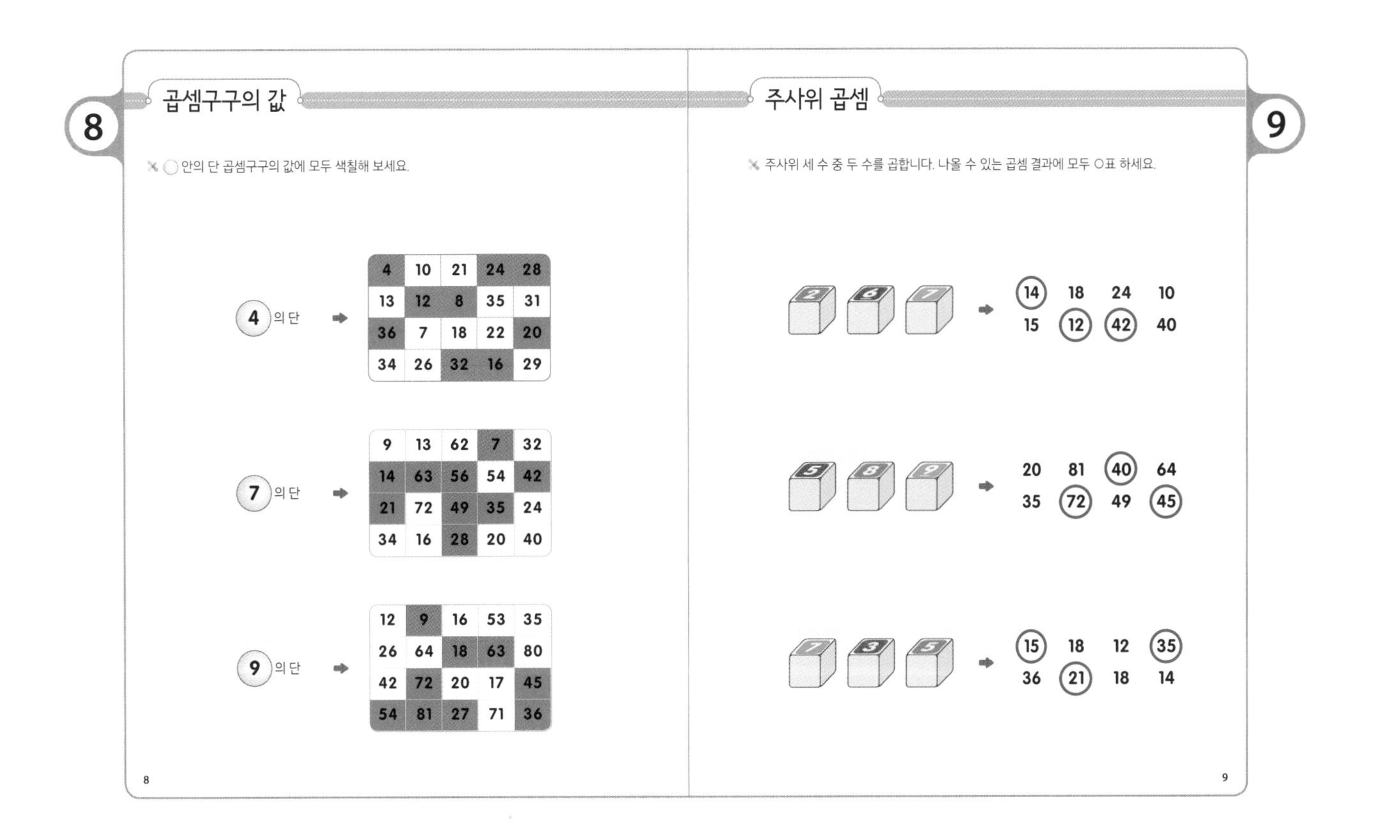

8 곱셈구구의 값

◯ 안의 단 곱셈구구의 값에 모두 색칠해 보세요.

4의 단 →

4	10	21	24	28
13	12	8	35	31
36	7	18	22	20
34	26	32	16	29

7의 단 →

9	13	62	7	32
14	63	56	54	42
21	72	49	35	24
34	16	28	20	40

9의 단 →

12	9	16	53	35
26	64	18	63	80
42	72	20	17	45
54	81	27	71	36

8

9 주사위 곱셈

주사위 세 수 중 두 수를 곱합니다. 나올 수 있는 곱셈 결과에 모두 ○표 하세요.

2, 6, 7 → (14) 18 24 10 / 15 (12) (42) 40

5, 8, 9 → 20 81 (40) 64 / 35 (72) 49 (45)

7, 3, 5 → (15) 18 12 (35) / 36 (21) 18 14

9

머긴스빙고 B

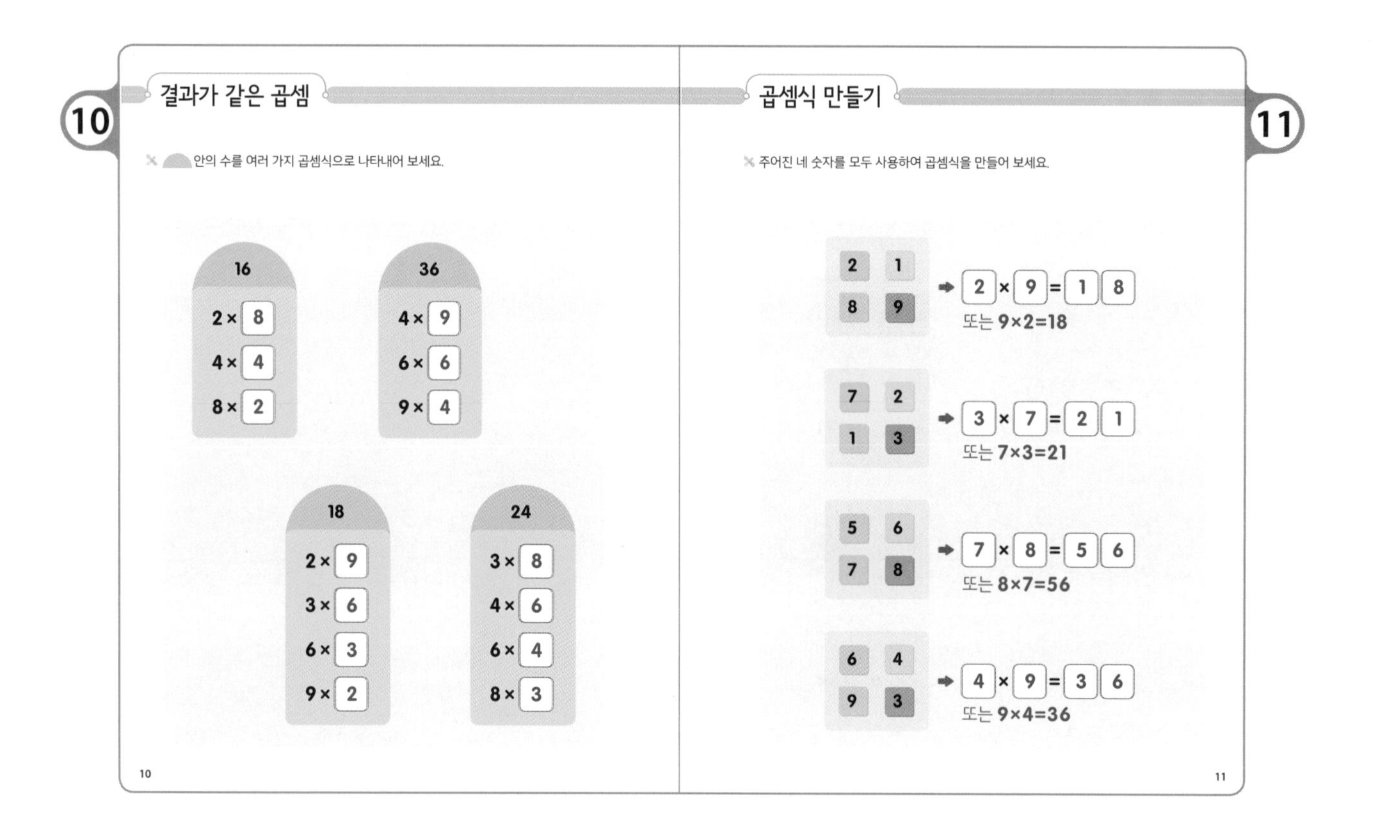

10
결과가 같은 곱셈
안의 수를 여러 가지 곱셈식으로 나타내어 보세요.
16
2 × 8
4 × 4
8 × 2
36
4 × 9
6 × 6
9 × 4
18
2 × 9
3 × 6
6 × 3
9 × 2
24
3 × 8
4 × 6
6 × 4
8 × 3
10
11
곱셈식 만들기
주어진 네 숫자를 모두 사용하여 곱셈식을 만들어 보세요.
2 1 8 9
2 × 9 = 1 8
또는 9×2=18
7 2 1 3
3 × 7 = 2 1
또는 7×3=21
5 6 7 8
7 × 8 = 5 6
또는 8×7=56
6 4 9 3
4 × 9 = 3 6
또는 9×4=36
11

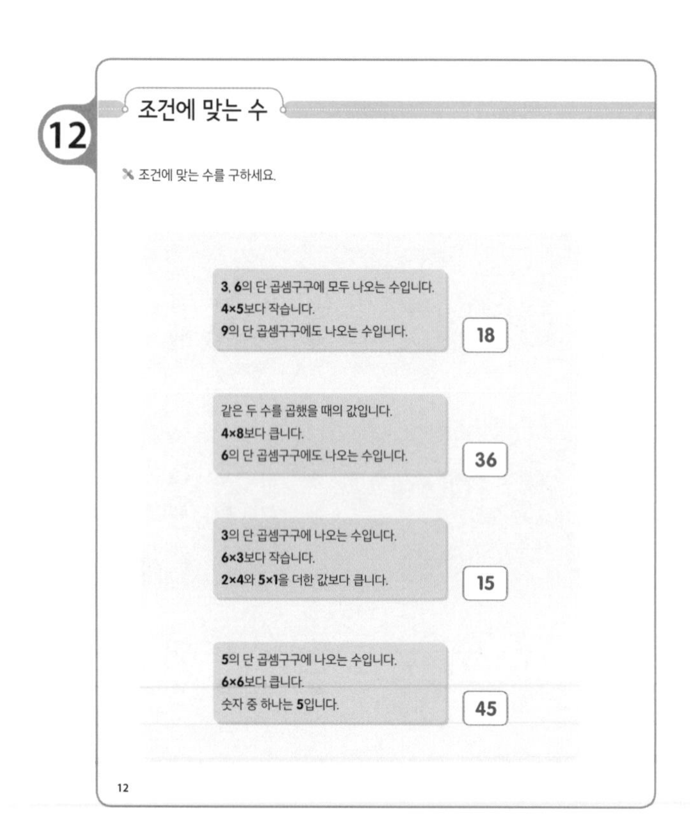

12
조건에 맞는 수
조건에 맞는 수를 구하세요.
3, 6의 단 곱셈구구에 모두 나오는 수입니다.
4×5보다 작습니다.
9의 단 곱셈구구에도 나오는 수입니다.
18
같은 두 수를 곱했을 때의 값입니다.
4×8보다 큽니다.
6의 단 곱셈구구에도 나오는 수입니다.
36
3의 단 곱셈구구에 나오는 수입니다.
6×3보다 작습니다.
2×4와 5×1을 더한 값보다 큽니다.
15
5의 단 곱셈구구에 나오는 수입니다.
6×6보다 큽니다.
숫자 중 하나는 5입니다.
45
12

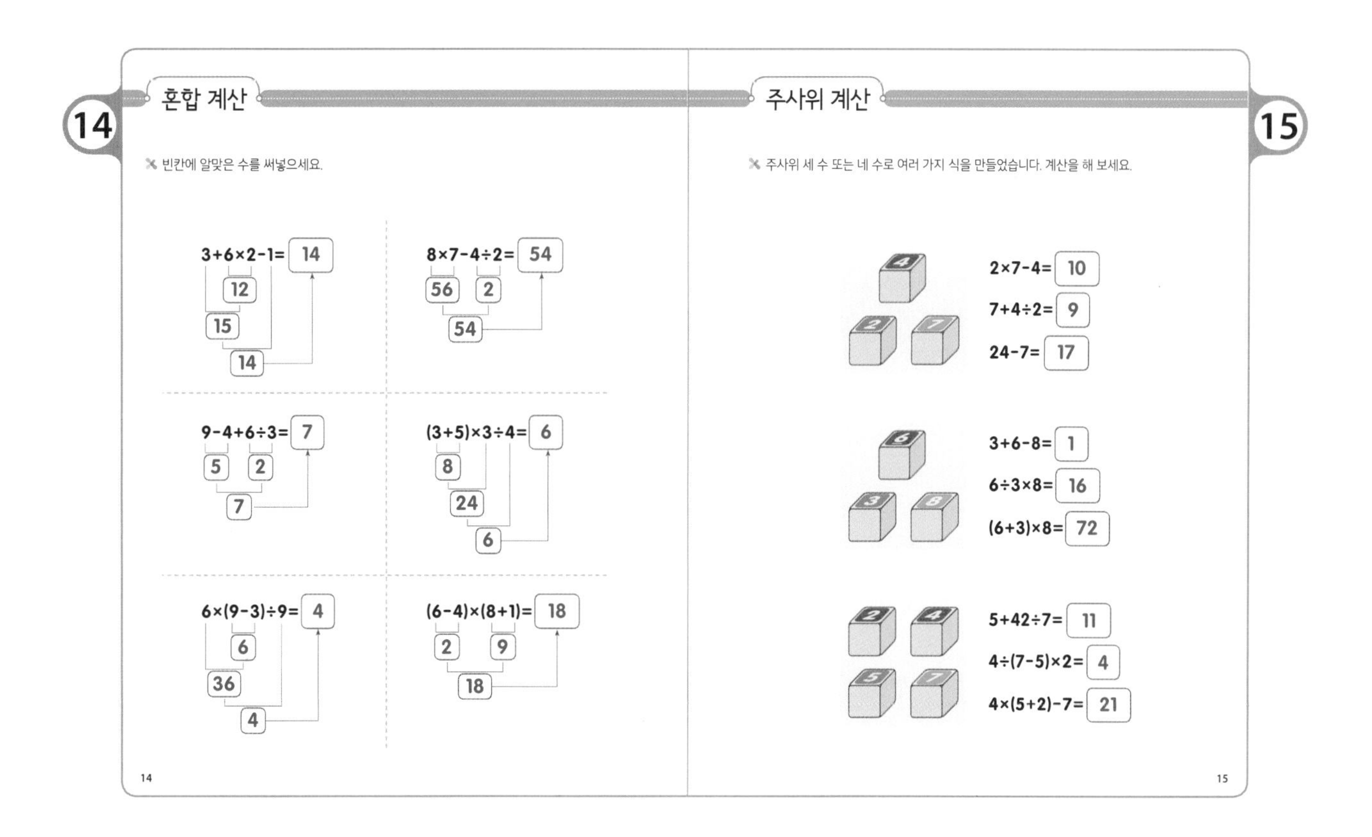

14 혼합 계산

빈칸에 알맞은 수를 써넣으세요.

3+6×2-1= 14 (12, 15, 14)

8×7-4÷2= 54 (56, 2, 54)

9-4+6÷3= 7 (5, 2, 7)

(3+5)×3÷4= 6 (8, 24, 6)

6×(9-3)÷9= 4 (6, 36, 4)

(6-4)×(8+1)= 18 (2, 9, 18)

15 주사위 계산

주사위 세 수 또는 네 수로 여러 가지 식을 만들었습니다. 계산을 해 보세요.

2×7-4= 10

7+4÷2= 9

24-7= 17

3+6-8= 1

6÷3×8= 16

(6+3)×8= 72

5+42÷7= 11

4÷(7-5)×2= 4

4×(5+2)-7= 21

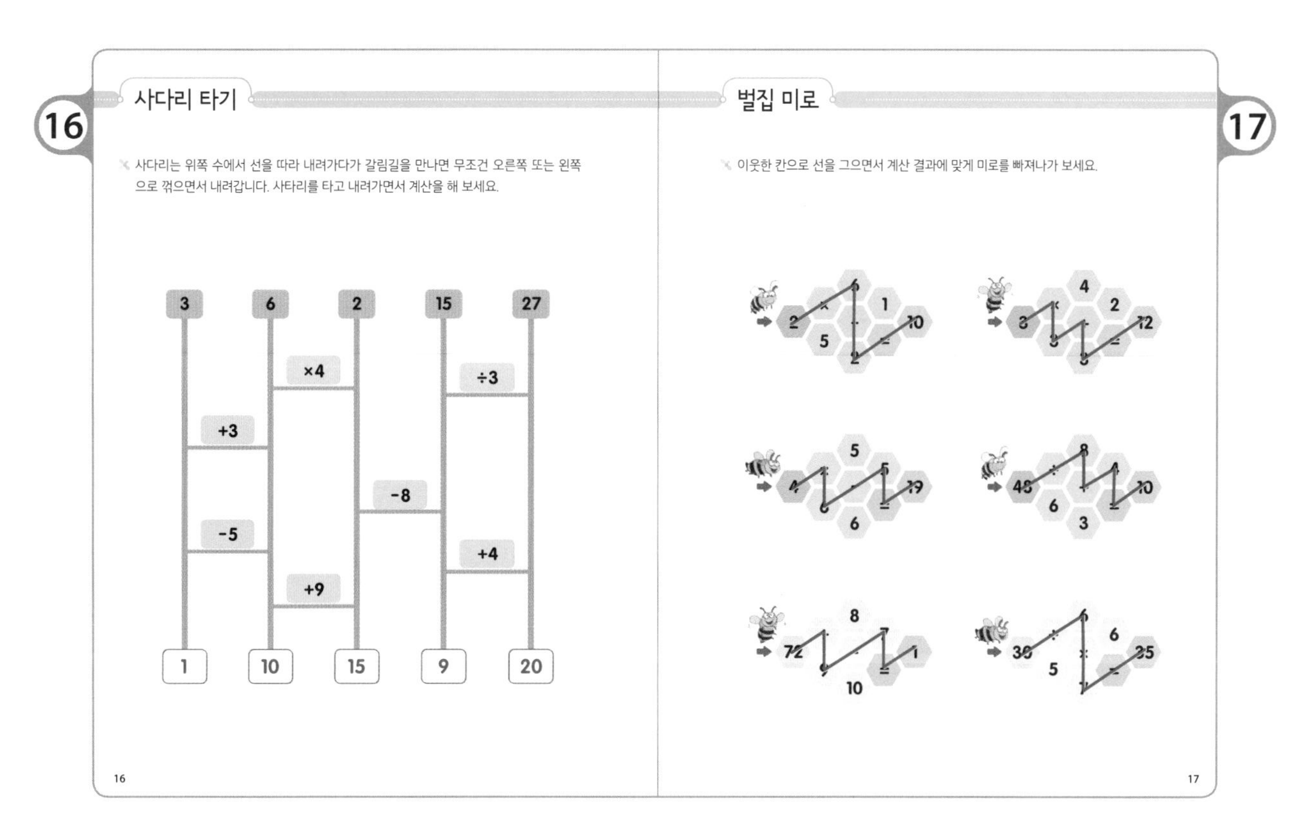

16 사다리 타기

사다리는 위쪽 수에서 선을 따라 내려가다가 갈림길을 만나면 무조건 오른쪽 또는 왼쪽으로 꺾으면서 내려갑니다. 사타리를 타고 내려가면서 계산을 해 보세요.

17 벌집 미로

이웃한 칸으로 선을 그으면서 계산 결과에 맞게 미로를 빠져나가 보세요.

머긴스빙고 B

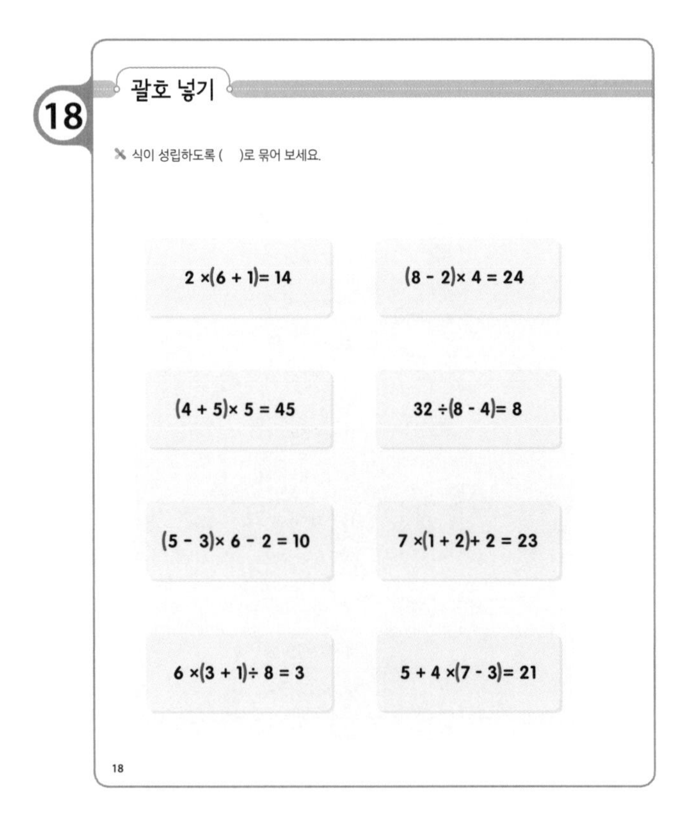

18 괄호 넣기

식이 성립하도록 (　)로 묶어 보세요.

2 ×(6 + 1)= 14

(8 - 2)× 4 = 24

(4 + 5)× 5 = 45

32 ÷(8 - 4)= 8

(5 - 3)× 6 - 2 = 10

7 ×(1 + 2)+ 2 = 23

6 ×(3 + 1)÷ 8 = 3

5 + 4 ×(7 - 3)= 21

18

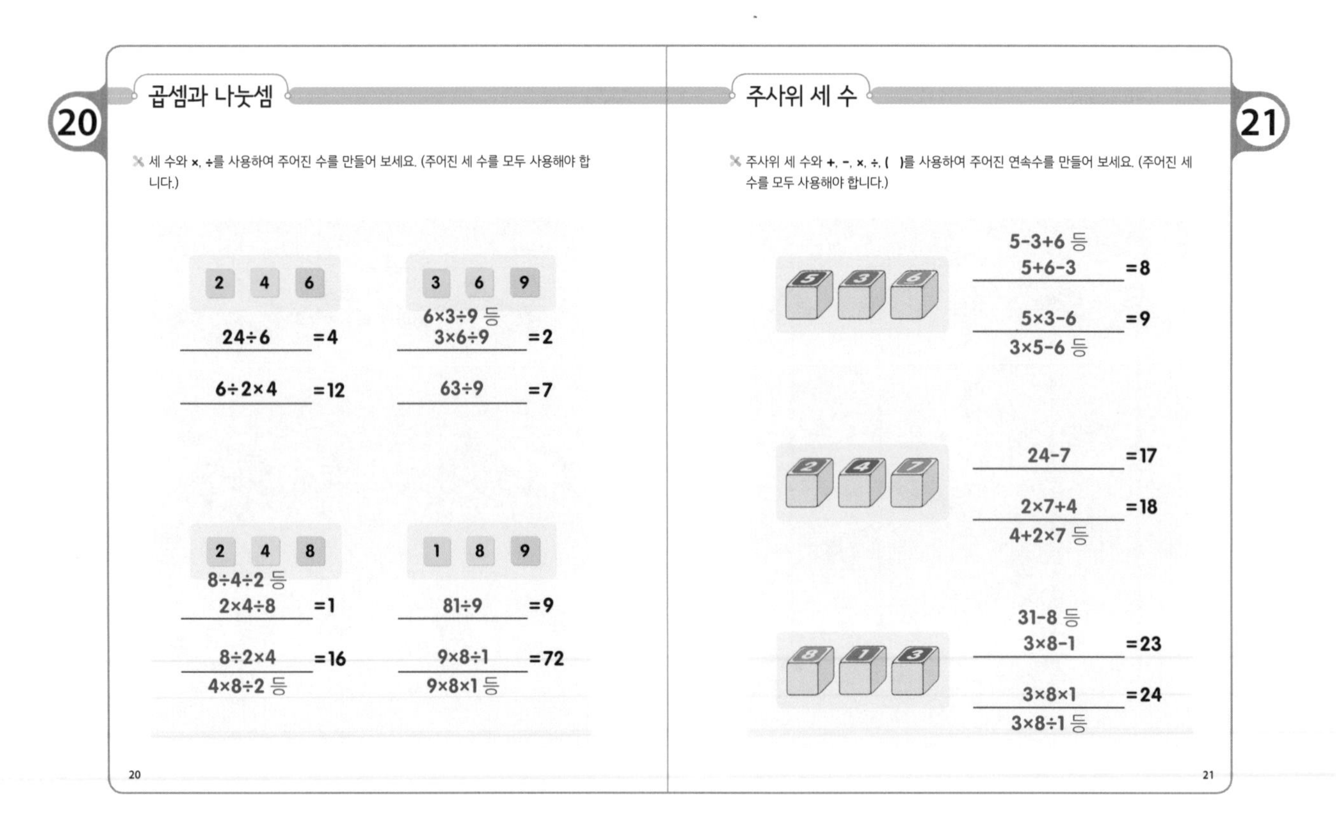

20 곱셈과 나눗셈

세 수와 ×, ÷를 사용하여 주어진 수를 만들어 보세요. (주어진 세 수를 모두 사용해야 합니다.)

2 4 6

24÷6 =4

6÷2×4 =12

3 6 9

6×3÷9 등

3×6÷9 =2

63÷9 =7

2 4 8

8÷4÷2 등

2×4÷8 =1

8÷2×4 =16

4×8÷2 등

1 8 9

81÷9 =9

9×8÷1 =72

9×8×1 등

20

21 주사위 세 수

주사위 세 수와 +, −, ×, ÷, (　)를 사용하여 주어진 연속수를 만들어 보세요. (주어진 세 수를 모두 사용해야 합니다.)

5 3 6

5-3+6 등

5+6-3 =8

5×3-6 =9

3×5-6 등

2 4 7

24-7 =17

2×7+4 =18

4+2×7 등

8 1 3

31-8 등

3×8-1 =23

3×8×1 =24

3×8÷1 등

21

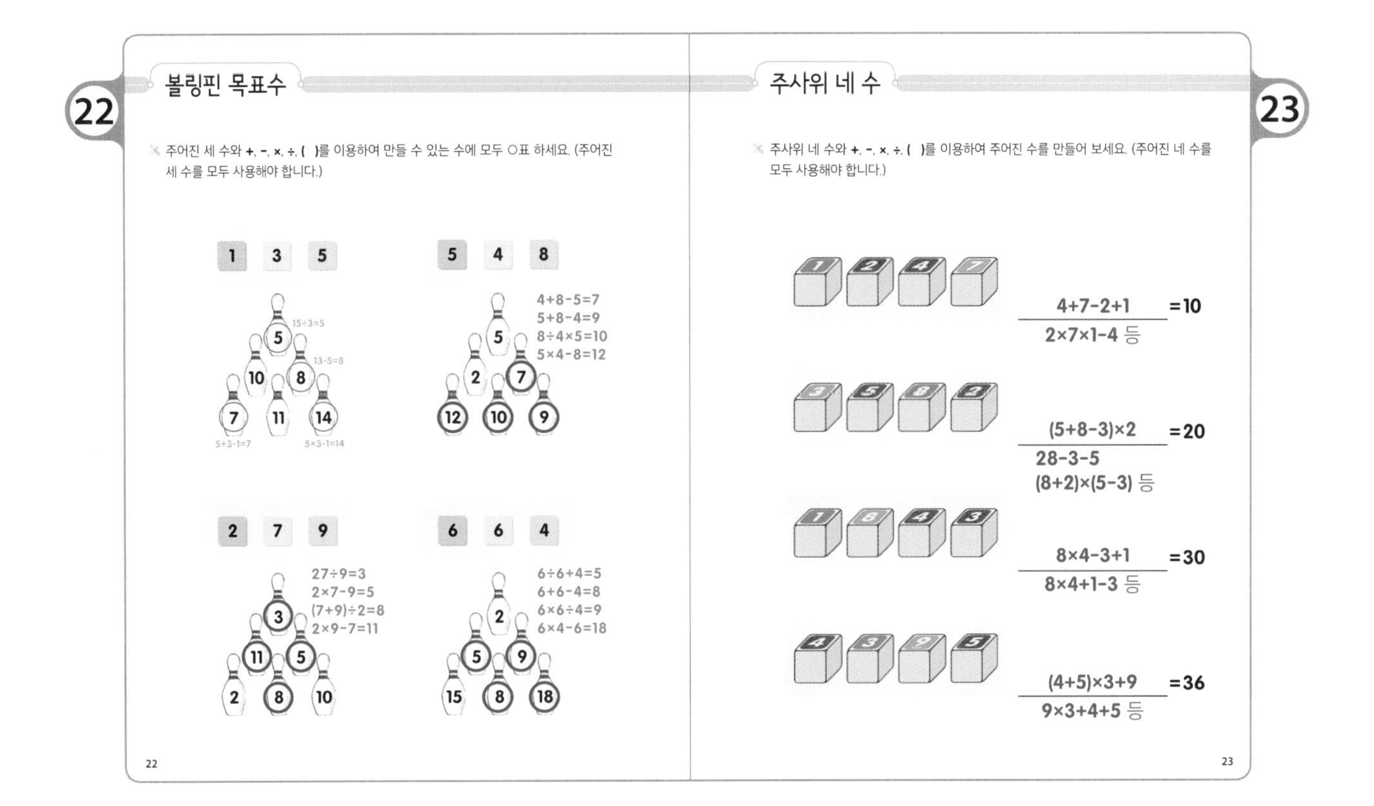

22 볼링핀 목표수

주어진 세 수와 +, -, ×, ÷, ( )를 이용하여 만들 수 있는 수에 모두 ○표 하세요. (주어진 세 수를 모두 사용해야 합니다.)

22

23 주사위 네 수

주사위 네 수와 +, -, ×, ÷, ( )를 이용하여 주어진 수를 만들어 보세요. (주어진 네 수를 모두 사용해야 합니다.)

4+7-2+1 =10
2×7×1-4 등

(5+8-3)×2 =20
28-3-5
(8+2)×(5-3) 등

8×4-3+1 =30
8×4+1-3 등

(4+5)×3+9 =36
9×3+4+5 등

23

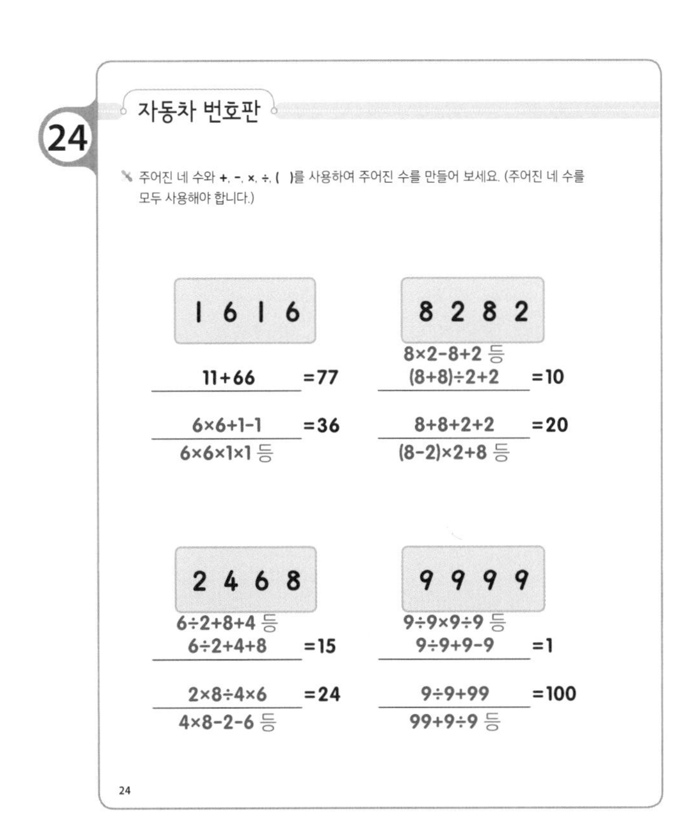

24 자동차 번호판

주어진 네 수와 +, -, ×, ÷, ( )를 사용하여 주어진 수를 만들어 보세요. (주어진 네 수를 모두 사용해야 합니다.)

1 6 1 6

11+66 =77

6×6+1-1 =36
6×6×1×1 등

8 2 8 2

8×2-8+2 등
(8+8)÷2+2 =10

8+8+2+2 =20
(8-2)×2+8 등

2 4 6 8

6÷2+8+4 등
6÷2+4+8 =15

2×8÷4×6 =24
4×8-2-6 등

9 9 9 9

9÷9×9÷9 등
9÷9+9-9 =1

9÷9+99 =100
99+9÷9 등

24

MEMO

초등 수학 교구 상자

평면 공간감각을 길러주는 회전 펜토미노 퍼즐

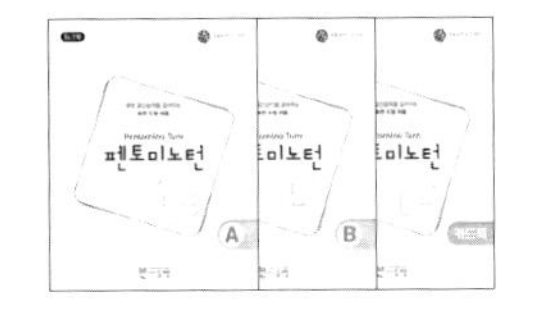

펜토미노턴

초등학생들이 어려워하는 '평면도형의 이동'을 펜토미노와 패턴블록으로 도형을 직접 돌려보며 재미있게 해결하는 공간감각 퍼즐입니다.

입체 공간감각을 길러주는 멀티큐브 퍼즐

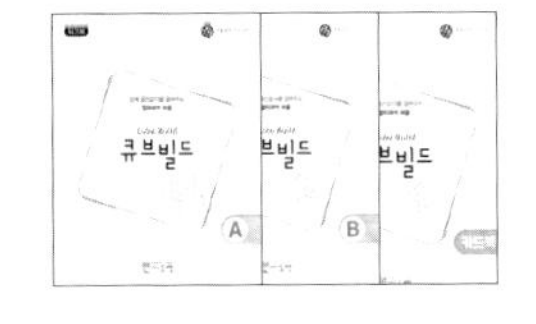

큐브빌드

머릿속으로 그리기 어려운 입체도형을 쌓기나무와 멀티큐브를 이용하여 직접 만들어 위, 앞, 옆 모양을 관찰하고, 다양한 입체 모양을 만드는 공간감각 퍼즐입니다.

도형감각을 길러주는 입체 칠교 퍼즐

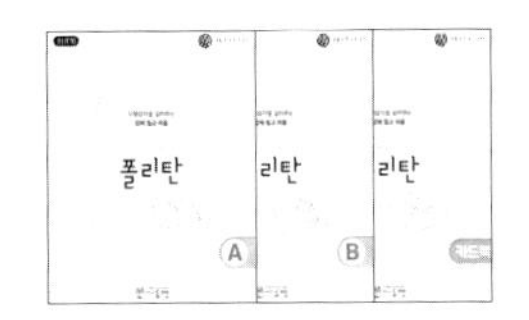

폴리탄

정사각형을 7조각으로 자른 '입체 칠교'와 직각이등변삼각형을 붙인 '입체 볼로'를 활용하여 평면뿐만 아니라 다양한 입체도형 문제를 해결하는 퍼즐입니다.

수 감각을 길러주는 창의 연산 보드 게임

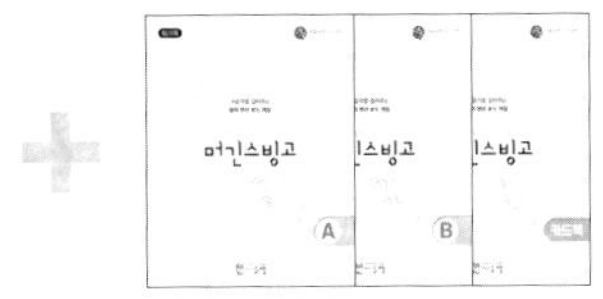

머긴스빙고

빙고 게임과 머긴스 게임을 활용하여 수 감각과 연산 능력을 끌어올리고 전략적 사고를 키우는 사고력 보드 게임입니다.

공간감각을 길러주는 입체 폴리오미노 보드 게임

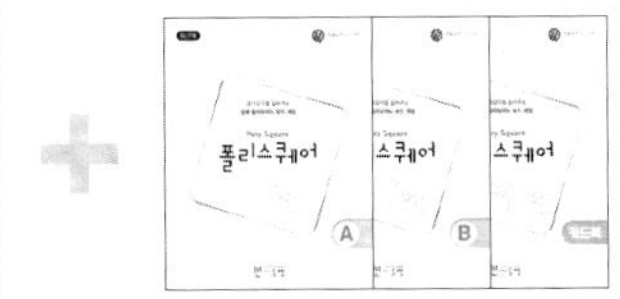

폴리스퀘어

모노미노부터 펜토미노까지의 폴리오미노를 이용하여 다양한 모양을 만들어 보고, 공간을 차지하는 게임으로 공간감각을 키우는 공간 점령 보드 게임입니다.

I hear and I forget 듣기만 한 것은 잊어버리고

I see and I remember 본 것은 기억되지만

I do and I understand 직접 해 본 것은 이해가 된다

Muggins Bingo

머긴스빙고

펴낸곳: ㈜씨투엠에듀 **발행인:** 한헌조

모델명: 필즈엔_머긴스빙고
제조년월: 2020년 2월
주소 및 전화번호: 경기도 수원시 장안구 파장로 7(태영빌딩 3층) / 031-548-1191
제조국명: 한국

카드북

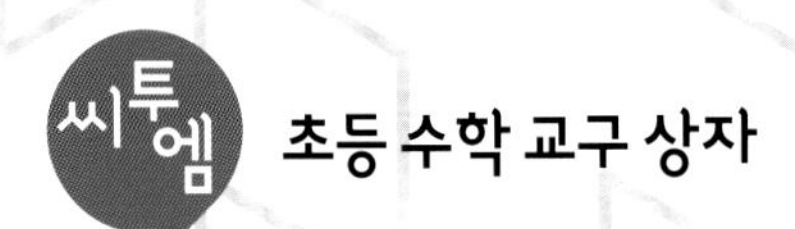

수감각을 길러주는

창의 연산 보드 게임

Muggins Bingo

머긴스빙고

카드북

새로운 카드로 더욱 재미있는 활동을 해 보세요.

카드북 구성

목표수 카드(빨간색 8장, 연두색 8장, 파란색 8장, 보라색 8장)

세 수 +, - 10 만들기(빨간색 카드)

카드 앞면에 주어진 주사위 세 수와 +, - 중 전부 또는 일부를 사용하여 10을 만듭니다. 10을 만드는 방법은 여러 가지가 있습니다. 카드 뒷면의 예시 답을 확인하고 내가 만든 식 외에도 여러 가지 10을 만드는 방법을 살펴봅니다.

세 수 +, - 목표수 만들기(연두색 카드)

카드 앞면에 주어진 주사위 세 수와 +, - 중 전부 또는 일부를 사용하여 오른쪽의 목표수를 만듭니다. 수를 만드는 방법은 여러 가지가 있습니다. 카드 뒷면의 예시 답을 확인하고 내가 만든 식 외에도 여러 가지 수를 만드는 방법을 살펴봅니다.

세 수 +, -, ×, ÷, ( ) 10 만들기(파란색 카드)

카드 앞면에 주어진 주사위 세 수와 +, -, ×, ÷, ( ) 중 전부 또는 일부를 사용하여 10을 만듭니다. 10을 만드는 방법은 여러 가지가 있습니다. 카드 뒷면의 예시 답을 확인하고 내가 만든 식 외에도 여러 가지 10을 만드는 방법을 살펴봅니다.

네 수 +, -, ×, ÷, ( ) 10 만들기(보라색 카드)

카드 앞면에 주어진 주사위 네 수와 +, -, ×, ÷, ( ) 중 전부 또는 일부를 사용하여 10을 만듭니다. 10을 만드는 방법은 여러 가지가 있습니다. 카드 뒷면의 예시 답을 확인하고 내가 만든 식 외에도 여러 가지 10을 만드는 방법을 살펴봅니다

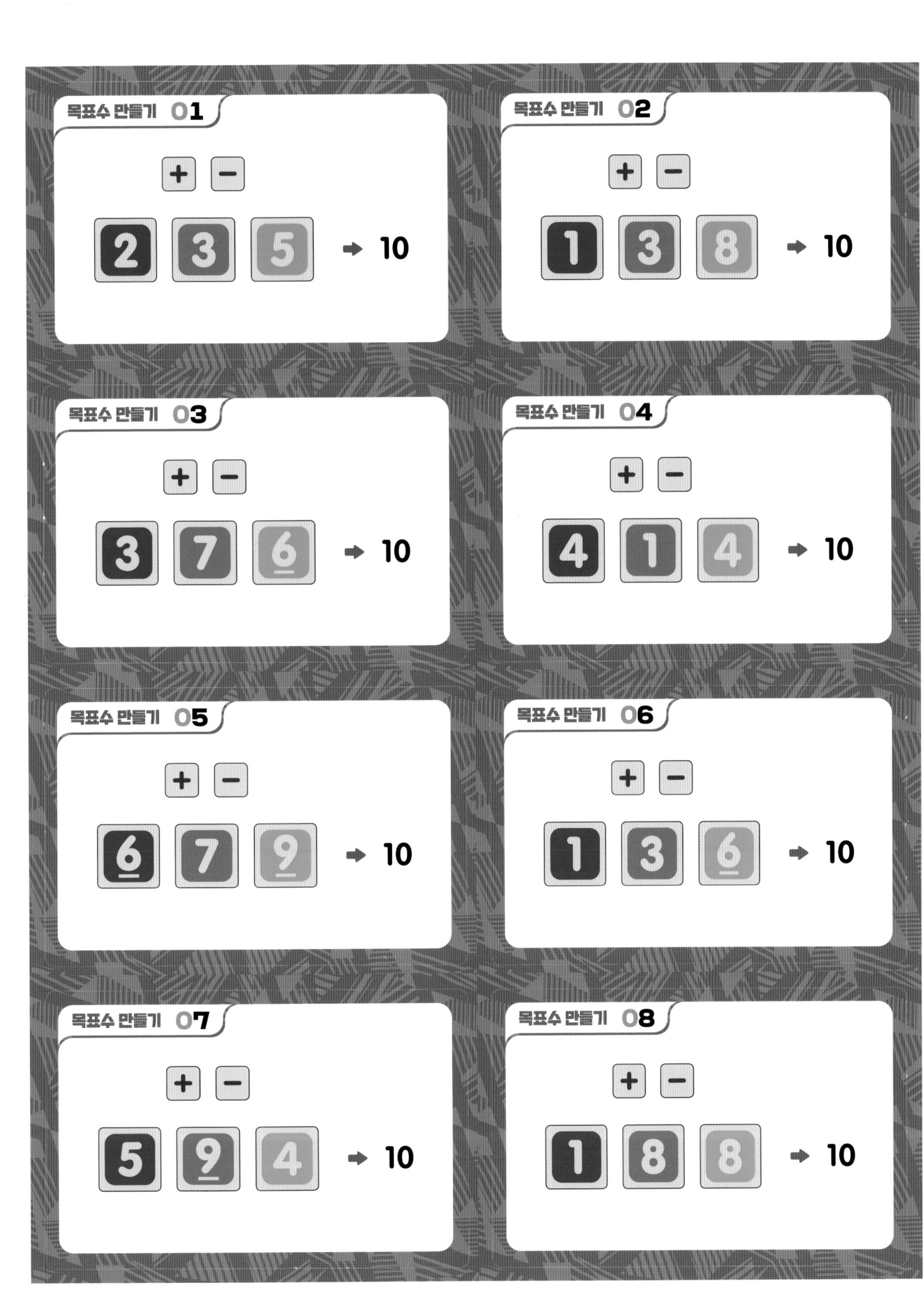
목표수 만들기 01
+ −
2 3 5 ➡ 10
목표수 만들기 02
+ −
1 3 8 ➡ 10
목표수 만들기 03
+ −
3 7 6 ➡ 10
목표수 만들기 04
+ −
4 1 4 ➡ 10
목표수 만들기 05
+ −
6 7 9 ➡ 10
목표수 만들기 06
+ −
1 3 6 ➡ 10
목표수 만들기 07
+ −
5 9 4 ➡ 10
목표수 만들기 08
+ −
1 8 8 ➡ 10

목표수 만들기 02

3+8-1=10
3-1+8=10
8+3-1=10
…

목표수 만들기 01

2+3+5=10
3+2+5=10
5+3+2=10
…

목표수 만들기 04

14-4=10

목표수 만들기 03

7+6-3=10
7-3+6=10
6-3+7=10
…

목표수 만들기 06

1+3+6=10
3+6+1=10
6+1+3=10
…

목표수 만들기 05

7+9-6=10
7-6+9=10
9-6+7=10
…

목표수 만들기 08

18-8=10

목표수 만들기 07

5+9-4=10
5-4+9=10
9-4+5=10
…

6 2 4 ➡ 8

목표수 만들기 02

+ −

5 2 7 ➡ 14

목표수 만들기 03

+ −

3 3 9 ➡ 9

목표수 만들기 04

+ −

4 8 7 ➡ 11

목표수 만들기 05

+ −

6 1 7 ➡ 9

목표수 만들기 06

+ −

4 8 5 ➡ 7

목표수 만들기 07

+ −

1 1 5 ➡ 16

목표수 만들기 08

+ −

4 1 7 ➡ 13

목표수 만들기 02

5+2+7=14
2+5+7=14
7+5+2=14
...

목표수 만들기 01

6+4-2=8
4+6-2=8
6-2+4=8
...

목표수 만들기 04

7+8-4=11
8+7-4=11
8-4+7=11
...

목표수 만들기 03

9+3-3=9
3+9-3=9
9-3+3=9
3-3+9=9

목표수 만들기 06

8+4-5=7
4+8-5=7
8-5+4=7
...

목표수 만들기 05

16-7=9

목표수 만들기 08

17-4=13

목표수 만들기 07

11+5=16
15+1=16
5+11=16
...

2 3 4 → 10

목표수 만들기 02

+ − × ÷ ( )

3 9 7 → 10

목표수 만들기 03

+ − × ÷ ( )

5 3 5 → 10

목표수 만들기 04

+ − × ÷ ( )

2 1 4 → 10

목표수 만들기 05

+ − × ÷ ( )

4 8 5 → 10

목표수 만들기 06

+ − × ÷ ( )

5 3 6 → 10

목표수 만들기 07

+ − × ÷ ( )

1 3 7 → 10

목표수 만들기 08

+ − × ÷ ( )

2 8 6 → 10

목표수 만들기 01

$3\times4-2=10$

$2\times3+4=10$

…

목표수 만들기 02

$9\div3+7=10$

$7+9\div3=10$

목표수 만들기 03

$3\times5-5=10$

$5\times3-5=10$

$(5-3)\times5=10$

…

목표수 만들기 04

$(1+4)\times2=10$

$2\times(1+4)=10$

…

목표수 만들기 05

$8\div4\times5=10$

$8\times5\div4=10$

…

목표수 만들기 06

$6\times5\div3=10$

$5\times6\div3=10$

$6\div3\times5=10$

…

목표수 만들기 07

$1\times7+3=10$

$7\times1+3=10$

$(7+3)\times1=10$

…

목표수 만들기 08

$8\times2-6=10$

$2\times8-6=10$

$8\div2+6=10$

…

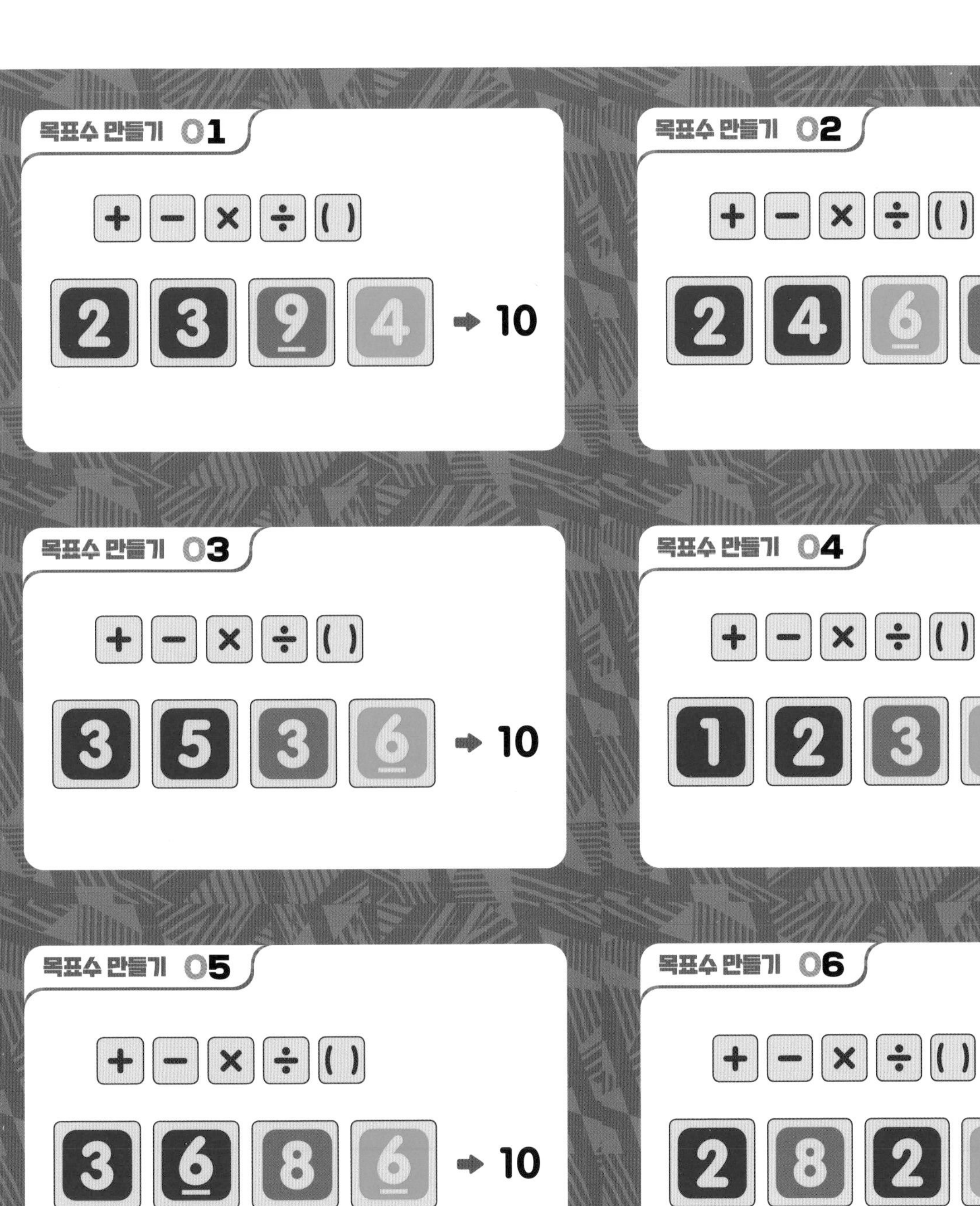

목표수 만들기 01

+ − × ÷ ( )

2 3 9 4 → 10

목표수 만들기 02

+ − × ÷ ( )

2 4 6 8 → 10

목표수 만들기 03

+ − × ÷ ( )

3 5 3 6 → 10

목표수 만들기 04

+ − × ÷ ( )

1 2 3 7 → 10

목표수 만들기 05

+ − × ÷ ( )

3 6 8 6 → 10

목표수 만들기 06

+ − × ÷ ( )

2 8 2 8 → 10

목표수 만들기 07

+ − × ÷ ( )

2 5 3 7 → 10

목표수 만들기 08

+ − × ÷ ( )

4 3 5 7 → 10

목표수 만들기 01

2+9+3-4=10
9×2÷3+4=10
…

목표수 만들기 02

8÷2×4-6=10
2×4-6+8=10
…

목표수 만들기 03

3×6-5-3=10
3×3+6-5=10
…

목표수 만들기 04

27÷3+1=10
(7×3-1)÷2=10
…

목표수 만들기 05

3×8÷6+6=10
(6-3)×6-8=10
…

목표수 만들기 06

8÷2+8-2=10
8÷2-2+8=10
…

목표수 만들기 07

35÷7×2=10
3×5-7+2=10
…

목표수 만들기 08

(5-4)×(3+7)=10
3×4-7+5=10
…

초등 수학 교구 상자

평면 공간감각을 길러주는 회전 펜토미노 퍼즐

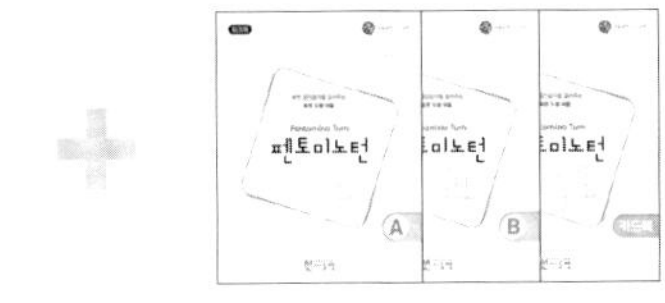

펜토미노턴

초등학생들이 어려워하는 '평면도형의 이동'을 펜토미노와 패턴블록으로 도형을 직접 돌려보며 재미있게 해결하는 공간감각 퍼즐입니다.

입체 공간감각을 길러주는 멀티큐브 퍼즐

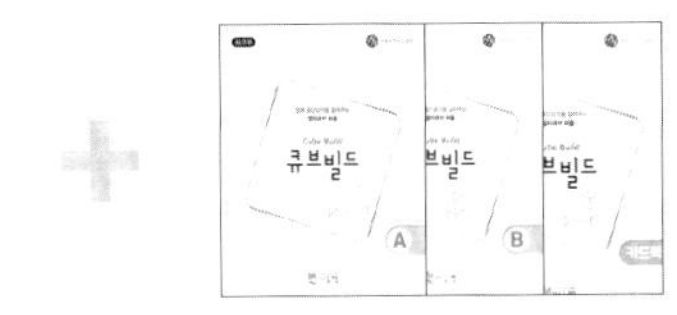

큐브빌드

머릿속으로 그리기 어려운 입체도형을 쌓기나무와 멀티큐브를 이용하여 직접 만들어 위, 앞, 옆 모양을 관찰하고, 다양한 입체 모양을 만드는 공간감각 퍼즐입니다.

도형감각을 길러주는 입체 칠교 퍼즐

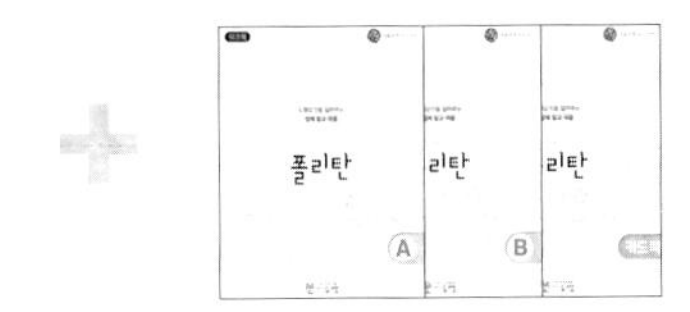

폴리탄

정사각형을 7조각으로 자른 '입체 칠교'와 직각이등변삼각형을 붙인 '입체 볼로'를 활용하여 평면뿐만 아니라 다양한 입체도형 문제를 해결하는 퍼즐입니다.

수 감각을 길러주는 창의 연산 보드 게임

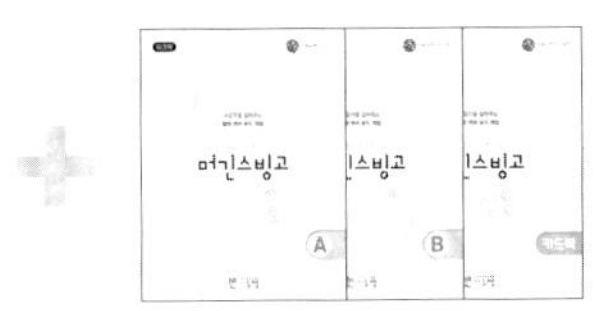

머긴스빙고

빙고 게임과 머긴스 게임을 활용하여 수 감각과 연산 능력을 끌어올리고 전략적 사고를 키우는 사고력 보드 게임입니다.

공간감각을 길러주는 입체 폴리오미노 보드 게임

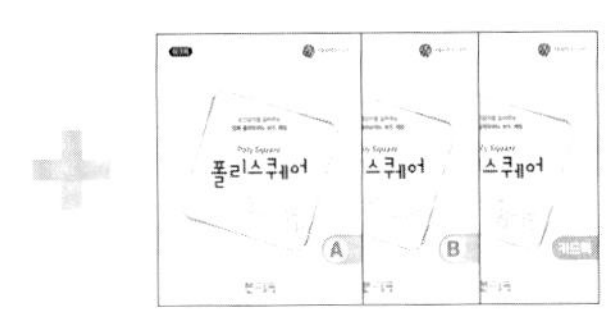

폴리스퀘어

모노미노부터 펜토미노까지의 폴리오미노를 이용하여 다양한 모양을 만들어 보고, 공간을 차지하는 게임으로 공간감각을 키우는 공간 점령 보드 게임입니다.

I hear and I forget 듣기만 한 것은 잊어버리고

I see and I remember 본 것은 기억되지만

I do and I understand 직접 해 본 것은 이해가 된다

Muggins Bingo

머긴스빙고

펴낸곳: ㈜씨투엠에듀 **발행인:** 한헌조

모델명: 필즈엠_머긴스빙고
제조년월: 2020년 2월
주소 및 전화번호: 경기도 수원시 장안구 파장로 7(태영빌딩 3층) / 031-548-1191
제조국명: 한국